COLLECTION

PRESSES
HEC

DIRIGÉE PAR
MARIE-ÉVA DE VILLERS

D0453219

CETAI

CENTRE D'ÉTUDES
EN ADMINISTRATION
INTERNATIONALE

Ce tiré à part universitaire est extrait de l'ouvrage *Le pays en otage*
publié dans la collection Québec/Amérique Presses-HEC,
352 pages, 34,95$.

Table des matières
de l'ouvrage complet

Miville Tremblay

Le Pays en otage

LE FINANCEMENT DE LA DETTE PUBLIQUE

ÉDITIONS QUÉBEC/AMÉRIQUE

425, rue Saint-Jean-Baptiste, Montréal (Québec) H2Y 2Z7
tél. : (514) 393-1450   Fax : (514) 866-2430

Données de catalogage avant publication (Canada)

Tremblay, Miville, 1955 –
   Le pays en otage – le financement de la dette publique
   (Collection Presses HEC)

   ISBN 2-89037-896-9

   1. Dettes publiques – Canada.   2. Dettes extérieures – Canada.
3. Financement du déficit – Canada.   4. Investissements étrangers – Canada.   I. Titre.

HJ8513.T73 1997   336.3'6'0971   C97-940036-8

© **1997, Éditions Québec/Amérique inc.**

Dépôt légal: 1er trimestre 1997
Bibliothèque nationale du Québec
Bibliothèque nationale du Canada

Illustration de la couverture : Christian Tiffet

Mise en page : Folio infographie

TRENTE-SIX HEURES
SUR LES MARCHÉS FINANCIERS

Il est 20 h et pratiquement tous les employés ont quitté l'immeuble de 72 étages, le plus haut du Canada. Hiroko Matsumoto, cambiste à la Banque de Montréal, traverse d'un pas pressé le grand hall de la First Canadian Place jusqu'au comptoir où je fais le pied de grue. L'agent de sécurité est parti faire sa ronde. Voilà qui est embêtant, car lui seul peut faire fonctionner les ascenseurs le soir. Matsumoto consulte nerveusement un petit appareil noir accroché à la ceinture de son tailleur et qui ressemble à un télé-avertisseur. Sur l'écran de quelques lignes, pas de numéro de téléphone, mais le cours du dollar canadien. Matsumoto revient de souper et craint d'être en retard. Son patron l'attend là-haut. L'agent arrive enfin et nous montons. Au 17e étage, la salle de marché est presque vide. De la centaine de personnes qui s'y activent pendant le jour, ne subsiste plus qu'une douzaine, les yeux rivés sur leurs écrans d'ordinateur, le téléphone vissé à l'oreille. Accroché au mur, un téléviseur est allumé. Newsworld y présente les premiers résultats des élections au Québec.

5

Normalement, il n'y a qu'un négociateur de garde pour la soirée, pour ce qu'on appelle « le *shift* de Tokyo ». Mais lorsqu'un événement politique — tel qu'un discours du budget ou une élection — peut peser sur les marchés, les grandes banques mettent des équipes sur pied pour exécuter les ordres de leurs clients. Sur la foi des derniers sondages, les opérateurs prévoient une forte majorité pour le Parti québécois, qui veut faire du Québec un pays indépendant. « Si on voit une majorité d'au moins 85 sièges ou de 40 % des votes pour le PQ, on peut assister à un délestage du dollar canadien », avertit le chef cambiste Nick Howell, un grand gaillard à la moustache blonde. Son travail est de coter des prix au comptant pour le dollar canadien, tant pour ceux qui veulent en vendre à la Banque de Montréal, que pour ceux qui souhaitent lui en acheter. Il est teneur de marché et, à ce titre, toujours prêt à conclure une transaction aux prix cotés. Howell est secondé par un cambiste adjoint, qui l'aide à analyser l'information qui afflue, et par une équipe de vendeurs qui assurent les contacts avec la clientèle. Matsumoto couvre le Japon, où il est 10 h du matin. Au téléphone, un investisseur institutionnel veut lui vendre 75 millions de dollars canadiens ($ CAN) au taux de 1,3643. Comme il se doit, elle demande l'aval de Howell qui fait signe que non. Il n'est tenu d'accepter une transaction qu'au prix coté et l'offre japonaise est pour l'instant, trop chère.

Le chef cambiste est au centre d'une tranchée formée par deux rangées de postes de travail qui se font face. Il lui suffit de pivoter sur sa chaise à roulettes pour interpeller un coéquipier ou lui faire un signe. L'atmosphère est animée, bruyante, nerveuse. À l'extérieur de la tranchée, il y a l'autre, client ou concurrent, invisible mais toujours présent derrière les écrans, dans l'immeuble voisin ou sur un autre continent. On lui parle constamment par téléphone, par ordinateur ou par un intermédiaire, en se servant d'un code commun à la secte des cambistes. Tantôt amis, tantôt ennemis, parfois les deux, on s'échange des blagues dans un climat où se mélangent connivence et duplicité. On ne se livre pas vraiment de guerre entre salles de marché ; on joue plutôt une incessante partie de poker où les jetons valent des millions. Chacun tente d'acheter une marchandise à vil prix et de la revendre à prix fort. Le bluff fait partie des règles du jeu. Mais en tout temps le professionnalisme domine.

Le taux de change

Le taux de change (*exchange rate*) est le prix international d'une monnaie. Le marché où se négocient les diverses monnaies est appelé marché des changes. Comme toute marchandise, le prix de la monnaie varie en fonction de l'offre et de la demande. Des achats soutenus font monter le prix, tandis que des ventes répétées le font baisser. Les flux internationaux d'investissement, de commerce et de tourisme, sont les principaux facteurs qui influencent l'offre et la demande d'une monnaie. Sur le marché mondial des capitaux, le dollar américain sert de référence et son prix mesuré dans diverses devises détermine les taux de change. Par convention, les cambistes cotent toujours le prix du dollar américain dans les différentes devises, dont le dollar canadien, plutôt que l'inverse. Mais quand un cambiste dit que le dollar américain vaut 1,3635 $ CAN, c'est comme s'il affirmait que le dollar canadien vaut 0,7334 $ US. Attention : lorsque ce cambiste veut démontrer que le dollar canadien baisse, il citera des taux de change qui montent en dollars américains. Inversement, quand il parle d'un huard qui grimpe, il cotera des taux qui baissent en dollars américains. Bref, quand le dollar canadien baisse, le dollar américain monte et vice versa.

À 20 h 12, un vendeur crie : « CTV prévoit un minimum de 70 sièges. » Il ne l'a pas vu à la télé, qui sera branchée sur Newsworld toute la soirée ; il l'a appris au téléphone. De fait, on regardera fort peu la télé durant la soirée ; pas le temps. D'ailleurs, il n'y a pas de son. À dire vrai, on distingue le son après un moment, mais il est rapidement perdu dans le brouhaha général. Impossible de suivre ce que disent les analystes. La seule information transmise par le téléviseur est le bandeau de couleur en bas de l'écran où figure le nombre de sièges attribués à chaque parti ; élus ou simplement en avance, on ne le sait pas.

« 65 - 80 » dit une voix nasillarde surgie d'un haut-parleur. « 65-80 », répète la voix. Est-ce une projection des sièges que se partageront les deux partis ? Non, c'est plutôt la voix d'un courtier spécialisé, un intermédiaire qui relie toutes les banques et qui présente, de manière anonyme et continue, le meilleur prix d'achat et le meilleur prix de vente parmi ceux que lui transmettent les banques. Si Howell est intéressé par l'une de ces propositions, il presse un bouton qui le relie au courtier et complète en quelques secondes un achat ou une vente sans jamais connaître l'identité de l'autre partie de la transaction. « 65 » représente pour l'instant les deux dernières décimales du taux de change du dollar américain, exprimé en dollars canadiens. Plus précisément, 1,3665 $ CAN est le prix qu'un acheteur est disposé à payer pour obtenir des dollars américains — c'est le cours acheteur (*bid*). « 80 » est le prix demandé par le vendeur, soit 1,3680 $ CAN — on parle du cours vendeur (*asked*). L'écart entre les deux prix est plus grand qu'à l'accoutumée, signe que le marché hésite et cherche une direction. Dans le change canadien, les transactions se font habituellement par multiples de 5 millions (on dit *five bucks*) : 5 millions est une petite transaction, 100 millions une grande, plus de 300 *bucks,* une très grande. Le marché des changes au Canada enregistre un volume quotidien d'environ 30 milliards $ US. Les opérations de change Canada-US représentent 71 % de l'ensemble, le mark allemand 13 %, le yen japonais 6 %, la livre anglaise 4 %, le franc suisse 3 % et toutes les autres devises 3 %. Une enquête estime que 61 % des transactions se font entre banques et que 39 % seulement avec des clients, principalement des investisseurs institutionnels et des entreprises commerciales. Les transactions au comptant (*spot*), dont s'occupe Howell, constituent 39 % de l'ensemble[1].

— Comment s'appelle le troisième parti ? demande Matsumoto à la cantonade.

— Parti de l'Action démocratique, dis-je.

— Comment ça s'écrit ?

Je m'installe à son clavier et tape les trois mots. En un paragraphe, Matsumoto explique à un client asiatique ce qui se passe au Québec. Le marché des changes traite des montants fabuleux, mais le négoce le plus fébrile est celui de l'information. Les cambistes parlent sans arrêt, entre eux, avec leurs clients ou leurs concurrents, souvent avec plusieurs à la fois. Et pour ne rien perdre, ils consultent en même temps les multiples graphiques et tableaux qui encombrent les trois écrans d'ordinateurs devant eux. Ils sont mitraillés d'informations.

Ont-ils parfois le temps de jeter un coup d'œil à la photo des enfants, collée près des écrans ? Une conversation complète dure rarement plus d'une minute ou deux, et souffre plusieurs interruptions. Dans ce bref moment, le cambiste comprime plusieurs microraisonnements, chacun structuré en une phrase comportant sujet, verbe, complément. S'il donne dans la fantaisie, ou que l'idée est particulièrement complexe, il ajoute un deuxième complément d'objet. Une conversation typique peut facilement aborder une douzaine de sujets qui n'ont pas de lien apparent entre eux. Une vraie macédoine. Bien sûr, il existe des liens entre ces arguments, mais ils sont implicites, ancrés dans la théorie économique, les idées à la mode ou les préjugés. Bref, la salle de marché d'une grande banque n'est pas l'endroit pour entendre une analyse sophistiquée et posée des causes et conséquences d'un événement politique. Plus troublant encore, on n'attend pas la fin de la soirée pour passer à l'action. Les résultats du scrutin sont encore très fragmentaires que déjà les clients appellent... et valsent les millions ! Le stress est intense. Un cambiste s'éclipse discrètement pour griller une cigarette. Ce geste est un délit : la loi interdit de fumer dans les banques !

Howell cote des cours acheteur et vendeur aux clients qui les lui demandent et, à ces prix, il conclut les transactions qui lui sont proposées. Son objectif est d'acheter moins cher que le prix vendu... le plus souvent possible. Ce n'est pas évident, lorsque les prix bougent sans arrêt ; Howell prend des risques calculés. Dans des limites clairement établies, le cambiste en chef spécule sur l'appréciation ou sur la dépréciation des devises, se fiant à l'information qui afflue et à son expérience. Ce soir, son jugement l'enjoint à la prudence. Il débute avec une petite position en compte de 10 à 15 millions $, presque rien, étant donné la taille de la Banque de Montréal. Il faut bien comprendre que les opérateurs prennent sur le marché des positions qui correspondent à leurs anticipations. Généralement, ils ont soit une position « en compte » (*long*), soit une position « à découvert » (*short*) ; lorsque l'opérateur ne sait pas quelle direction le marché va prendre il reste au neutre ; ou comme Howell, il se contente d'une petite position.

À 20 h 30, CBC prévoit que le Parti québécois formera un gouvernement majoritaire. Dans la salle, je ne sens aucune émotion particulière ; pas de réaction. Mais sur les écrans, le dollar canadien

Être en compte ou à découvert

Une position en compte (*long*) signifie que l'investisseur possède une valeur — action, obligation ou devise — dont il pense que le prix va augmenter. Il réalisera un profit en la vendant plus cher qu'il ne l'a payée. Si cet investisseur prévoit au contraire un prix à la baisse, il peut malgré tout faire des profits en adoptant une position à découvert (*short*). En pareil cas, l'investisseur vendra une valeur qu'il ne possède pas, ou il en vendra plus qu'il n'en possède. Il y parvient en empruntant d'un tiers les valeurs vendues. Si le prix baisse comme prévu, l'opérateur rachète cette même valeur et la remet au tiers qui la lui a louée. Il dégage ainsi un profit, car le prix de vente est supérieur au prix d'achat, même si l'ordre habituel de ces transactions a été inversé. Toutefois, si le prix monte pendant que l'investisseur est à découvert, il perdra de l'argent. Par exemple, un négociateur vend à découvert une obligation au prix de 100 $. Si par la suite le cours glisse à 98 $, le négociateur rachète l'obligation à ce prix plus bas et réalise un profit de 2 $. Si, par contre, le cours monte à 102 $, il paie l'obligation plus cher que le prix vendu et enregistre une perte de 2 $.

s'apprécie. « Le Canada se conduit très, très bien » dit Howell, dans un accent qui trahit ses origines britanniques. Le comportement du huard illustre parfaitement l'adage anglo-saxon : *Buy on rumours, sell on news* — achetez lorsque la rumeur court, vendez lorsque la nouvelle est confirmée. Les marchés sont obsédés par l'avenir et tentent constamment de le prévoir. La décision d'acheter ou de vendre est prise bien avant l'événement, dans la mesure où celui-ci est prévisible. Les sondages du printemps montraient la fatigue des libéraux et la cote d'amour du PQ dans l'opinion publique québécoise. Le changement de gouvernement était prévisible. Dès lors, les opérateurs ont mis un prix sur cette éventualité. Il est cependant difficile d'isoler ce prix, car le dollar canadien dérape depuis près de trois ans pour de multiples raisons, dont le déficit des paiements courants et la détérioration des finances publiques. Pendant l'été, il est resté stable. Ce soir, l'incertitude politiques s'étant dissipée, des investisseurs rachètent le dollar canadien.

Évidemment, dans toute transaction, il y a un acheteur et un vendeur qui ont forcément des opinions ou des intérêts différents. À la droite de Howell, le négociateur Darren Kosack effectue une transaction à l'aide d'un écran d'ordinateur. Il tape ses prix sur une ligne : 50-57 (c'est-à-dire 1,3650 $ CAN pour le cours acheteur et 1,3657 pour le cours vendeur). Après quelques secondes, une deuxième ligne s'écrit toute seule à l'écran ; c'est le correspondant qui répond depuis Singapour. Cambiste pour un grand courtier américain, il achète 25 millions $ US contre des dollars canadiens. De courtes salutations sont échangées. Tout est réglé.

Peu après 21 h, la moitié des vendeurs quittent la salle. Beaucoup de clients — entreprises, compagnies d'assurances, caisses de retraite — ont appelé pour savoir comment les marchés réagissaient aux élections, mais ils étaient relativement peu nombreux à vouloir négocier. Les investisseurs institutionnels canadiens, plutôt conservateurs, répugnent à négocier en dehors des heures normales d'affaires. Ce soir, le ciel ne leur est pas tombé sur la tête ; demain, il sera encore temps de réviser leurs positions. À la télé, la bande de couleur accorde 80 sièges au PQ et 44 au Parti libéral. Howell hausse les épaules : « Je m'en fous, me dit-il, c'est maintenant de l'histoire. Le Canada va être encore là demain. » Une interprétation fait consensus dans la salle : le score des péquistes se révèle plus serré que prévu. La probabilité qu'il puisse remporter un référendum sur l'indépendance du Québec le printemps prochain semble plutôt faible. C'est une bonne nouvelle pour les investisseurs, qui craignent l'incertitude entourant ce projet. Voilà pourquoi le dollar canadien s'est apprécié de 16 centièmes de cent US depuis la fermeture des bureaux de scrutin. Mais Howell pense déjà au prochain revirement du marché. Il a manœuvré sa barque pour se protéger contre la baisse du dollar ; il craint le ressac qui surviendra si plusieurs investisseurs vendaient leurs dollars canadiens. « Je sens qu'il va y avoir des prises de profit. » À 20 h, la Banque de Montréal détenait une position longue de 10 à 15 millions $; une heure et demie plus tard, elle est à découvert de 30 à 35 millions $, une position qui demeure toutefois modeste et rapidement modifiable.

À 22 h, les transactions totalisent 250 millions $. C'est peu pour une soirée d'élections et pour une équipe qui estime faire parmi les plus gros volumes sur le marché du dollar canadien. Les flux observés depuis cette salle étaient plutôt spéculatifs ; les achats provenaient d'Amérique du Nord, surtout des grands courtiers new-yorkais, et les ventes d'Extrême-Orient, principalement des banques japonaises. Des entreprises canadiennes ont également vendu des dollars canadiens. La plus grosse transaction de la soirée : une banque japonaise a échangé 50 millions de dollars canadiens contre des dollars américains. Rien de neuf, explique Matsumoto, les Japonais sont généralement vendeurs depuis le début de l'année.

Il est presque 23 h. Un pan de chemise sortant de son pantalon, Howell quitte la salle de marché sans attendre le discours de victoire de Jacques Parizeau. Il est fourbu. Il est au boulot depuis 6 h 30 ce matin. C'est le bureau de la Banque de Montréal, à Singapour, qui va surveiller la position au cours des prochaines heures. À eux de décoder ce que pourrait bien dire le chef du Parti québécois. La nuit ne fait que commencer.

★ ★ ★

OTTAWA, MARDI 13 SEPTEMBRE 1994

Une dizaine de personnes entrent les unes après les autres dans la petite pièce beige. Elles ont le teint couleur des murs, embarrassées d'y voir un étranger. C'est sans précédent. Il a fallu une permission venue d'en haut et de multiples garanties sur l'anonymat des participants pour qu'un journaliste entre dans le saint des saints. On s'assoit autour de la table rectangulaire où trônent quelques gros microphones qui ressemblent à du matériel des premières années de Radio-Canada. Avec leur air rétro, je les verrais bien dans un vidéo-clip ! Mais le sujet est des plus sérieux. C'est la réunion matinale du département des Marchés financiers de la Banque du Canada. Cette réunion est présidée par le sous-gouverneur titulaire du département. Tour à tour, chaque participant fait une brève présentation en anglais ou en français, selon sa langue maternelle. Les microphones servent à communiquer avec les bureaux de Toronto et Montréal, reliés par lignes téléphoniques. Le but de cette rencontre quotidienne est de faire le point sur les conditions du marché durant la nuit, de repérer les événements susceptibles d'influer sur la journée et de rappeler la marche à suivre.

« Les Québécois ont parlé et les marchés ont réagi positivement, car ils craignaient une victoire plus décisive du PQ », déclare en français le président, en guise d'ouverture. L'analyse est juste et pondérée. De fait, les journaux du matin confirment que le Parti québécois a remporté 77 sièges et le Parti libéral 47. Le Parti de l'Action démocratique n'en a récolté qu'un seul. Plus significatif pour le référendum à venir, le PQ n'a dégagé qu'une mince pluralité dans le décompte des voix : 44,7 %, contre 44,3 % pour les libéraux. Il n'y aura pas d'autre commentaire à saveur politique pendant la réunion. La Banque du Canada ne franchit jamais la frontière qui limite son territoire ; elle ne se mêle pas de politique et ne met jamais le ministre des Finances dans l'embarras. En échange, la banque centrale jouit d'une grande autonomie dans la conduite de sa politique monétaire, dont l'unique objectif — c'est même devenu une obsession — est la stabilité des prix. Ce compromis est soigneusement préservé depuis la célèbre dispute entre le premier ministre John Diefenbaker et le gouverneur James Coyne, en 1961. Coyne fut viré pour avoir poursuivi une politique monétaire anti-inflationniste qui déplaisait au gouvernement conservateur, alors plus préoccupé par le chômage et la stabilité des obligations du Canada à un moment où s'effectuait la reconversion des bons de la Victoire. Qui plus est, chez les banquiers centraux la tradition veut que l'institution parle d'une seule voix, celle de son grand patron. Les deux mille personnes qui travaillent pour lui sont sans visage. « On aime être ennuyeux », m'a avoué l'un d'eux. Et lorsque le gouverneur fait une déclaration, ses propos sont soupesés plus soigneusement qu'une bulle papale. Dans le passé, plus d'un président ou gouverneur de banque centrale a provoqué des turbulences sur les marchés avec un commentaire subtilement déviant. Aussi, rien n'est plus prudent et orthodoxe qu'un discours de banquier central. C'est dans la nature des choses.

Aujourd'hui, poursuit le sous-gouverneur, on maintient à 5 1/8 % la cible du taux d'intérêt des fonds à un jour. Ce taux à un jour — peu connu du grand public — est l'outil le plus couramment utilisé par la Banque du Canada pour influencer les taux d'intérêt à court terme. Comme chacun le sait, une hausse des taux d'intérêt ralentit l'économie, tandis qu'une baisse la stimule.

Le taux de financement à un jour

Le taux de financement à un jour (*overnight rate*) est le loyer de l'argent exigé par les banques pour des prêts à très court terme. Ce taux fluctue dans une fourchette d'opération de 1/2 % et constitue une des principales cibles d'intervention de la banque centrale. À compter d'avril 1996, le taux d'escompte de la Banque du Canada sera égal à la limite supérieure de cette fourchette. Les banques qui ont temporairement des fonds excédentaires les prêtent à d'autres banques au taux à un jour. Fait important pour la politique monétaire : les banques financent à ce taux à un jour les stocks de bons du Trésor possédés par les courtiers en valeurs mobilières. Plus ce taux est bas, plus les courtiers sont enclins à détenir des bons et à se montrer audacieux au moment de la mise aux enchères du mardi. Plus ils se disputeront âprement les bons du Trésor, plus le taux de rendement payé par le gouvernement sur ses titres d'emprunt à court terme sera bas. Le taux à un jour est généralement proche du rendement des bons à trois mois. Lorsqu'il est inférieur, il faut y lire la volonté de la Banque de favoriser un repli des taux d'intérêt (ou de freiner une hausse). On dit alors que la banque centrale est accommodante ; lorsqu'il est supérieur, c'est le signe qu'elle désire favoriser une hausse des taux d'intérêt (ou ralentir une baisse). La Banque du Canada poursuit alors une politique restrictive.

Le délicat réglage des taux à un jour a été confié à une femme, la deuxième personne à parler. Elle débite à une vitesse ahurissante une série de considérations techniques des plus obscures, même pour certains participants habituels de la réunion. Dieu merci, elle a vite terminé. C'est le plombier en chef de la Banque du Canada. Par de savants transferts de liquidités, elle fait en sorte que le taux à un jour soit la plupart du temps remarquablement proche de la cible. Elle procède en manipulant le solde des comptes que le gouvernement canadien a ouverts auprès de chacune des banques à charte ; ces comptes servent principalement à honorer les nombreux chèques émis par le gouvernement et à y déposer les taxes et les impôts. Les besoins d'encaisse du gouvernement varient énormément d'un jour à l'autre et c'est l'une des nombreuses tâches de la Banque du Canada que de gérer les rentrées et les débours.

Mais l'ère des manipulations obscures tire à sa fin. La banque centrale se prépare à adopter par étapes une nouvelle manière d'influencer le taux à un jour à travers le système de compensation (*clearing*). Ce système permet de calculer et de régler les montants nets que se doivent les institutions de dépôt les unes les autres : c'est ce qui permet à une personne d'encaisser à la Banque nationale un chèque tiré sur un compte d'une Caisse populaire Desjardins. La compensation se fait chaque nuit par l'entremise des comptes que les institutions ont à la Banque du Canada. La banque centrale veut que les banques accélèrent la compensation et que les fonds à un jour circulent plus librement. En plus du système actuel qui sera conservé pour les

---

Le marché monétaire

Le marché monétaire (*money market*) englobe les instruments d'emprunt qui ont une échéance d'un an ou moins. Il s'agit de bons du Trésor, d'obligations dont il reste moins d'un an à courir, de papier commercial (des billets émis par des entreprises), d'acceptations bancaires (des billets émis par des entreprises mais garantis par des banques) et de certificats de dépôts négociables. Ces titres constituent une masse très liquide d'environ 300 milliards $, dont plus de la moitié est constituée de bons du Trésor du gouvernement canadien. Ce marché joue un rôle central dans la politique monétaire. La Banque du Canada y intervient afin d'influencer les taux d'intérêt à court terme, indirectement par les taux à un jour, mais aussi, à l'occasion, directement par des opérations d'achat ou de vente de bons du Trésor. La banque centrale n'intervient presque jamais sur le marché obligataire, qui couvre les instruments d'emprunt dont la durée varie entre 1 et 30 ans. Au Canada, les taux à moyen et à long terme sont entièrement tributaires des forces du marché. Attention : ne pas confondre avec le marché des changes.

---

chèques, les banques utiliseront en 1997 un système électronique de transfert de paiements de grande valeur, qui permettra une compensation instantanée des grandes transactions. De nouvelles règles entreront alors en vigueur : tout solde positif que les banques conserveront dans leur compte à la Banque du Canada sera rénuméré d'un intérêt égal au bas de sa fourchette d'opération des taux à un jour ; pour tout découvert, les banques devront payer un intérêt égal au niveau supérieur de la fourchette, c'est-à-dire au taux d'escompte. Comme le taux à un jour pratiqué sur le marché se situera entre ces deux bornes, les banques qui auront des liquidités excédentaires trouveront plus payant de les prêter à d'autres banques que de les laisser dormir à la Banque du Canada ; les banques qui auront besoin de liquidités verront qu'il revient moins cher d'emprunter d'une rivale, que de la Banque du Canada[2]. La banque centrale changera la fourchette des taux à un jour le plus simplement du monde : par la simple annonce — qu'elle fera quand bon lui semble — d'un nouveau taux d'escompte. Mais n'anticipons pas ! Aujourd'hui, le taux d'escompte sera encore lié à la vente des bons du Trésor.

C'est maintenant au chef du bureau de Montréal, un des plus expérimentés du groupe, de brosser un tour d'horizon du marché des changes. Dans un déluge de chiffres, il raconte que le dollar canadien s'est apprécié substantiellement au cours de la nuit, soit de 7/10e de cent US, ou presque 1 %. Ce mouvement contraste avec la stabilité du dollar américain par rapport au deutsche mark et au yen. Par un petit haut-parleur, je l'entends dire que des Canadiens, des Japonais et des Européens ont acheté le huard à des prix de plus en plus élevés durant la nuit, tant à Singapour qu'à Londres. En Europe, il a atteint un sommet à 1,3527 $ CAN (73,93 cents US) ; la Banque du Canada est alors intervenue pour limiter la hausse et le huard s'est replié à 1,3550 $ CAN (73,80 cents US). Comme à l'accoutumée, cet exposé montréalais repose sur des informations recueillies tôt le matin, au cours de conversations téléphoniques avec plusieurs opérateurs. Mais la présentation n'est pas terminée qu'elle est déjà dépassée par les événements. Au moment même où le chef de bureau parle, le dollar canadien fait un énorme bond à 1,3500 (74,07 cents US). Il a maintenant gagné près d'un cent depuis la fermeture des bureaux de scrutin. C'est un mouvement beaucoup trop rapide pour le goût de la Banque du Canada.

16

Les *When Issued*

Les *When Issued* (*W.I.*) sont des bons du Trésor qui seront émis lors de la prochaine adjudication (la mise aux enchères). Ils sont négociés entre institutions financières sur un marché extrêmement actif. En moyenne, un bon du Trésor est acheté et vendu trois fois dans la semaine qui précède son émission. Ce marché au cycle hebdomadaire débute immédiatement après l'adjudication du mardi et porte sur les bons du Trésor de la semaine suivante, dont on connaît alors les caractéristiques. Jusqu'en 1996, le taux des *W.I.* a servi de baromètre aux attentes relatives au prochain taux d'escompte.

La réunion est expéditive. Pas de beignet, pas de café, pas de blague. La présentation suivante provient de Toronto et porte sur le marché monétaire. Ce matin, le prix des bons du Trésor est en hausse (les taux sont donc en baisse) pour la même raison qui a propulsé le dollar : des investisseurs étrangers ont réalisé des achats importants à la suite du résultat des élections. « La mise aux enchères devrait se dérouler extrêmement bien », affirme ce troisième participant. Après avoir tâté le pouls des opérateurs, il estime que « la rue est à découvert d'environ 3,1 milliards ». « La rue » est l'expression générale pour désigner les professionnels du placement ; elle tire son origine de la célèbre Wall Street, à New York. La rue est à découvert parce qu'elle a vendu à l'avance la moitié des 6,8 milliards $ en bons du Trésor, qu'elle achètera aux enchères au début de l'après-midi. C'est une pratique normale qui réduit le risque couru par les banques et les courtiers qui vont acheter l'émission. Avant d'entrer en réunion, le taux des *W.I.* sur les bons à trois mois était de 5,55 %, laissant présager un taux d'escompte d'environ 5,80 %, en baisse de 12 points de base par rapport à la semaine précédente (100 points de base = 1 %). Le gros de cette baisse est survenu au cours des dernières heures.

Suit alors un aperçu du marché obligataire américain, en légère hausse ce matin, après la publication d'une statistique moins alarmante que prévu de l'indice des prix à la consommation. Une nouvelle hausse des taux courts est toujours possible, mais la Fed (diminutif de Federal Reserve Board, la banque centrale des États-Unis) ne bougera pas avant les élections de mi-mandat, en novembre. Sur le marché obligataire canadien, rapporte un autre participant, il y a plus de demandes d'information de la part des investisseurs institutionnels que de transactions. L'écart positif qui sépare le rendement des obligations canadiennes des obligations américaines, et que l'on considère comme une prime sur le risque accru, s'est resserré. Même phénomène pour les écarts entre les obligations provinciales et les obligations du Canada. Ici encore, peu d'activité pendant la nuit. Les courtiers s'attendent à ce que les provinces émettent de nouvelles obligations, maintenant que l'incertitude politique s'est estompée.

Ce soir, à 16 h 45, le petit groupe tiendra une deuxième réunion semblable à celle-ci ; si nécessaire, on y proposera des ajustements à l'encaisse des banques et au taux du financement à un jour du lendemain. Puis, à 17 h, ces propositions seront soumises à l'approbation du gouverneur et de ses proches conseillers. Ouf! À la sortie du détestable petit local beige et sans fenêtre, je redécouvre l'élégance moderne et fonctionnelle de l'architecte Arthur Erikson. Peut-on expliquer le luxe des bureaux de la Banque du Canada comme un vestige d'une prospérité révolue, ou y voir la preuve de son indépendance face au Parlement, situé à un jet de pierre ?

Énorme intervention à Londres

Pour ralentir la hausse du dollar pendant la nuit, la Banque a procédé a une « énorme intervention à Londres », a tantôt murmuré un cadre supérieur. Et ça continue. Cela se passe au 5e étage de la tour Est, dans la salle des marchés internationaux de la Banque du Canada, consacrée aux opérations de change et aux ventes d'or. On ne le croirait pas. Seulement quatre personnes dans cette belle pièce aux teintes kaki et vert forêt, abondamment éclairée par la lumière du jour. L'ambiance est plus sereine que celle de la salle des marchés de la Banque de Montréal.

Hier soir, durant la diffusion des résultats du scrutin, la Banque y avait mis de garde un cambiste. Mais il n'a pas eu à bouger le petit doigt : l'appréciation du dollar canadien se faisait tout en douceur. « On n'essaie pas de protéger un niveau, ou de déterminer la valeur extérieure de notre devise, explique un négociateur de cette salle. Notre politique est de modérer les mouvements à court terme, dans les deux sens. On ne pourrait pas défendre la devise, même si on le voulait. » En vérité, une politique de taux de change fixe par rapport au dollar américain est théoriquement possible. Mais la Banque du Canada devrait alors renoncer à ses ambitions anti-inflationnistes et importer sans discuter le taux d'inflation américain. Une banque centrale peut difficilement courir deux lièvres à la fois. La Banque du Canada a choisi la stabilité des prix et elle doit donc tolérer les fluctuations du dollar.

Avant de partir chez lui, vers 22 h, le cambiste a laissé des instructions à un agent en Europe » : vendre le dollar canadien et acheter le billet américain, si ce dernier atteint 1,3650 $ CAN (73,26 cents US). Le cambiste refuse de divulguer l'identité de cet agent, mais il est reconnu qu'il s'agit de la Banque d'Angleterre. La pratique est habituelle. Chaque soir, la Banque du Canada laisse des consignes précises à sa consœur de Londres. Au cas où le dollar ferait des siennes durant la nuit. De fait, peu après minuit, le huard part en flèche. À 1 h 15, la Banque d'Angleterre réveille le cambiste chez lui pour obtenir de nouvelles instructions. Les précédentes ne sont plus valables. Le marché a traversé un seuil technique situé à 1,3630 $ CAN (73,37 cents US) et a bondi d'un coup sec, sans transition, jusqu'à 1,3580 $ CAN (73,64 cents US). Il est alors 7 h 15 du matin sur le continent européen et les premiers achats de dollars canadiens s'ajoutent à ceux qui affluent d'Extrême-Orient, où la journée de travail n'est pas terminée. Pour contrer la vague, la Banque du Canada transmet de nouvelles consignes de vente. À l'ouverture du marché de Londres, une heure plus tard, le volume des transactions sur le dollar canadien s'accroît encore. À 6 h 25, la Banque d'Angleterre sort encore du lit le cambiste d'Ottawa. Elle a jeté dans la mêlée tout l'argent qu'il lui avait confié et le dollar, à 1,3540 $ CAN (73,85 cents US), continue de grimper. Le cambiste de la Banque du Canada allonge le budget alloué et définit de nouvelles cibles d'intervention. Enfin, le huard se stabilise quelque peu. Ces ventes de dollars canadiens, échangés contre des dollars américains, gonflent les réserves de change du pays. Fin août, les réserves internationales du Canada atteignaient 14,8 milliards $ US. Fin septembre, elles auront presque augmenté de 1 milliard $.

Les réserves internationales

Les réserves internationales (*International Reserves*) du Canada, ou réserves de change, servent à défendre le dollar canadien sur le marché des changes. Elles sont composées de devises étrangères, surtout des dollars américains investis dans des titres américains très liquides, de lingots d'or conservés dans les coffres du sous-sol, et de droits de tirage spéciaux (DTS), une unité comptable émise par le Fonds monétaire international, qui représente un panier de devises choisies. Ces réserves appartiennent au gouvernement et la Banque les gère selon les instructions générales du ministère des Finances. Elles font l'objet d'une comptabilité distincte du budget. Il n'en demeure pas moins qu'un pays se porte généralement mieux lorsque ses réserves sont élevées. Si elles se tarissent, le gouvernement doit emprunter à l'étranger pour les regarnir. En général, les réserves s'accroissent lorsque la tendance du dollar canadien est haussière ; elles diminuent lorsque la tendance est baissière.

Le cambiste n'est pas retourné se coucher après le deuxième appel de Londres, mais il s'est rendu dans la salle de marché de la Banque du Canada pour mieux suivre la situation. Il laisse toutefois la Banque d'Angleterre aux commandes, car le marché nord-américain n'est pas encore officiellement ouvert. Il prendra la relève à 8 h, à l'ouverture de la Chicago Mercantile Exchange (CME), la bourse spécialisée dans les devises (il y a quatre bourses à Chicago). Le cours est alors de 1,3530 $ CAN (73,91 cents US). Après une nuit mouvementée en Asie et en Europe, la question est maintenant de savoir ce que feront les spéculateurs de Chicago. Sur le parquet du CME, les négociateurs hurlent et gesticulent, agglutinés dans une corbeille. Ils s'échangent des contrats à terme qui permettent à chacun d'acheter ou de vendre des lots standard de 100 000 $ CAN, livrables à dates fixes au cours des prochains mois. Particularité du contrat à terme : le prix de ces transactions à venir est déterminé à l'avance ; cette caractéristique permet à l'importateur ou à l'exportateur de connaître immédiatement la valeur d'un paiement futur qu'il recevra ou devra faire dans une autre devise. Le contrat à terme sert ainsi d'instrument de couverture (*hedging*). Toutefois, il permet aussi de spéculer sur l'évolution de ces devises. Et c'est pour cela qu'on s'agite dans la corbeille. La Banque du Canada n'intervient pas à Chicago, mais elle suit son évolution de près, car marché à terme et marché au comptant sont des vases communicants.

De fait, le marché demeure paisible jusqu'à 9 h. Puis — durant la réunion de tout à l'heure — il devient subitement fou. Le dollar bondit pour s'approcher des 1,3500 $ CAN (74,07 cents US). La Banque vend des dizaines de millions de dollars canadiens et parvient à casser l'élan. D'autres vendeurs s'y mettent et le cours du dollar se replie fortement avant l'heure du lunch ; puis petite pose pendant que la plupart vont au restaurant. Certains employés de la Banque du Canada, respectueux du règlement, sortent pour fumer derrière l'immeuble et se dégourdir les jambes sur Sparks, une rue piétonnière. L'hiver dernier, un visiteur étranger qui observait des femmes sans manteau et cigarette à la bouche, a demandé, l'air perplexe, pourquoi on tolérait des filles de joie aux abords de la banque centrale ! Au retour du lunch, les acheteurs ragaillardis reprennent l'assaut sur le dollar. À 16 h, la clôture officielle marque 1,3486 $ CAN (74,15 cents US). Le marché, lui, n'arrête jamais. Le dollar va remonter encore un peu, mais il se stabilisera pendant la nuit.

Pour ses opérations de change, la Banque du Canada traite habituellement avec les grandes banques canadiennes, à l'exception des interventions que la Banque d'Angleterre exécute en son nom au cours de la nuit. Le cambiste a griffonné sur une feuille la liste de ses opérations de la journée, en précisant les heures et les montants. Un coup d'œil furtif permet d'en compter près d'une quinzaine. Le volume des interventions totalise plusieurs centaines de millions ; cependant, il reste significativement en deçà du record quotidien d'environ 1 milliard $. C'est beaucoup et peu à la fois. Le volume moyen de change du dollar canadien est d'environ 30 milliards $ US par jour, dont 9 milliards sur le marché au comptant.

Jusqu'à ce qu'un changement de politique fût adopté dans les mois qui suivirent mon passage à la Banque du Canada, les interventions se faisaient habituellement par lots de 5 à 25 millions $ et pouvaient se succéder plus ou moins rapidement. La Banque du Canada se distinguait des autres banques centrales par une plus grande fréquence et une taille plus modeste de ses interventions. Des teneurs de marché avouaient en privé que ces interventions rendaient leur vie plus facile en servant d'acheteur ou de vendeur de dernier ressort. « Maintenant, nous intervenons généralement moins souvent, mais plus vigoureusement. Il s'agit de faire face aux fortes variations à court terme du dollar qui sont susceptibles de se transformer en mouvements désordonnés, et non aux variations tendancielles progressives tenant à l'évolution des facteurs fondamentaux de l'économie », explique Tim Noël, sous-gouverneur responsable du département des Marchés financiers[3]. Il sera toujours difficile d'arrêter un flux spéculatif important, mais une banque centrale maximise son impact si elle attend l'apparition d'un reflux pour se lancer dans la mêlée avec des centaines de millions.

Les interventions concertées que pratiquent la Fed et la Buba (nom familier de la Bundesbank, la banque centrale d'Allemagne) sont rares et leur succès mitigé. La Banque du Canada y participe. Son cambiste communique alors avec les principales banques centrales du monde via un réseau de communication privé. Il utilise une boîte noire et brune équipée d'un petit haut-parleur et d'une série de boutons identifiés par des noms de pays. Ce réseau est utilisé cinq fois par jour pour échanger des informations en conférence téléphonique. La Banque du Canada participe à deux ou trois d'entre elles en fonction de son fuseau horaire. Depuis la signature de l'ALÉNA, elle tient en plus une conférence hebdomadaire avec la Fed et la Banque du Mexique.

L'efficacité des interventions des banques centrales sur le marché des changes est objet de débat. Pour certains, elle équivaut à offrir une banane à un gorille pour qu'il s'en aille, et ça ne marche pas[4]. Quand la Banque du Canada intervient sur le change, elle demeure un petit poisson dans un grand étang ; cependant, sur le marché monétaire, elle est un gros poisson dans un petit étang. Et elle exerce une plus grande influence sur le cours du huard lorsqu'elle manœuvre simultanément le levier des taux courts.

Les gardiens du marché monétaire

Deux étages plus bas, une autre salle de marché, plus vaste que la précédente, arbore les même couleurs sylvestres. La lumière du jour pénètre par des murs vitrés et baigne trois îlots de travail, paisibles comme un paysage. Deux patrons ont leurs bureaux, ouverts dans un coin, comme des chalets au bord d'un lac. Les tables de travail ornées de bois naturel sont dénudées ; chacune dotée d'un seul écran d'ordinateur, mais de superficie assez grande pour afficher plusieurs pages d'informations de sources différentes. Quelques personnes sont au téléphone, mais elles n'ont pas de combiné coincé entre l'oreille et l'épaule ; elles utilisent de légers écouteurs reliés à un microphone, comme ceux des téléphonistes. L'ambiance est studieuse. C'est la *Securities Trading Room*, mais l'appellation est trompeuse. Rien n'est négocié dans cette salle de marché. L'îlot du fond est utilisé pour des tâches de bureau, celui près de la fenêtre est occupé par deux personnes qui placent les réserves internationales du Canada dans des instruments qui rapportent, comme des obligations des gouvernements américain, japonais et allemand. C'est aussi une fonction d'intendance. Le dernier groupe — au cœur des opérations — comprend cinq analystes et un superviseur, qui scrutent les différentes facettes des marchés monétaires et obligataires canadiens. Cette équipe avale l'information financière comme un aspirateur, l'analyse et la transmet sous forme synthétique aux décideurs de la Banque du Canada.

Ottawa n'a pas de contact direct avec les opérateurs de Bay Street ou de la rue Saint-Jacques. Cette tâche revient aux antennes que la Banque du Canada possède à Toronto et à Montréal. Dans ces bureaux régionaux, des négociateurs (il leur arrive de conclure des transactions) téléphonent plusieurs fois par jour aux banques et courtiers actifs au Canada afin de prendre le pouls du marché ; ces entretiens durent plusieurs minutes. Le négociateur de la banque centrale s'enquiert alors d'une longue série de prix, pose des questions sur le volume, le type de la clientèle active et les régions du monde d'où proviennent les ordres d'achat ou de vente. Normalement, le nom des clients n'est pas mentionné, cette information étant confidentielle. Cet avant-midi, la Banque du Canada cherche surtout à comprendre la lecture du marché que font les différents opérateurs et, surtout, à connaître leurs positions — en compte ou à découvert — sur les bons du Trésor qui seront émis tout à l'heure. En retour, le négociateur de la Banque du Canada donne avec prudence quelques renseignements généraux sur le marché. Cette conversation permet à l'opérateur de mieux cerner l'état d'esprit de la banque centrale. Celle-ci essaie maintenant d'être plus transparente, voire explicite, dans ses intentions. Parler à la Banque du

Canada, c'est un peu comme se présenter devant un juge : en principe, on doit lui dire toute la vérité et rien que la vérité. Mais c'est beaucoup demander à des joueurs de poker. « Chacun parle en fonction de sa position — *talk his book*, dit-on en anglais — et fait part de sa vision du monde », reconnaît un responsable de la salle. « Il n'est pas toujours dans leur intérêt de tout nous dire. C'est pourquoi on ne se fie jamais seulement qu'à une ou deux sources. »

Les négociateurs des bureaux régionaux rapportent régulièrement le fruit de leur travail à Ottawa. Ici, les analystes qui font la synthèse des informations surveillent spécialement trois variables : le taux du financement à un jour, le rendement des bons du Trésor à trois mois sur le marché au comptant, et le rendement des *W.I.* à trois mois, ces bons qui seront émis à la prochaine adjudication. Enfin, ils gardent toujours un œil sur le dollar, même si celui-ci relève de l'équipe internationale, car ils savent pertinemment que les étrangers qui achètent des dollars canadiens vont souvent les placer dans des bons du Trésor ou dans des obligations du Canada. La mondialisation des marchés n'est pas un slogan creux. La Banque doit comprendre d'où viennent et où vont les capitaux, savoir si les mouvements observés seront passagers ou soutenus. Dans ce jeu de vases communicants, la lecture du marché monétaire américain est cruciale. Aujourd'hui, les analystes assistent à un rallye du marché monétaire canadien, alimenté par des achats étrangers. Le phénomène est intimement lié à la montée du dollar. À 10 h, le rendement des bons du Trésor à être émis (les *W.I.*) permet d'anticiper une modeste baisse du taux d'escompte d'environ 10 points de base. C'est un rythme qui plaît à la banque centrale ; toutefois, peu après, les taux glissent rapidement. Les bons du Trésor mis aux enchères vont s'envoler comme des petits pains chauds.

Chaque mardi, les enchères se déroulent de manière électronique. Banques et courtiers remplissent un formulaire qu'ils appellent à leur écran d'ordinateur ; ils ont jusqu'à 12 h 30 précises pour présenter une ou plusieurs offres pour les bons mis en vente. Cette semaine, la Banque du Canada vend au nom du ministère des Finances pour 3,8 milliards $ de bons à trois mois, pour 2 milliards $ de bons à six mois, et pour 1 milliard $ de bons à un an. Chaque offre doit indiquer le nombre de bons, leur échéance et le rendement que l'acquéreur est disposé à verser au gouvernement. Ce taux d'intérêt est précisé à trois décimales près. Le total ne peut viser plus du tiers des bons mis en

Le bon du Trésor

Le bon du Trésor (*Treasury Bill*) est un titre pour lequel le gouvernement canadien s'engage à payer au porteur un montant fixe (valeur nominale) après que s'est écoulé un nombre de jours donné. Les durées sont habituellement de trois mois, six mois et un an. Ces titres sont émis en coupures variant entre 1000 $ et 1 million $. Ils sont vendus au-dessous de leur valeur nominale ; pour le gouvernement, le coût de l'emprunt (ou rendement, pour l'investisseur) est la différence entre le prix de vente et la valeur nominale. Par exemple, si un bon du Trésor est payé 99 $ et que le gouvernement rembourse 100 $ trois mois plus tard, la différence (1 $) équivaut à un rendement annuel de 4,05 %. Les transactions sur les bons du Trésor se négocient sur la base de leur taux de rendement et non de leur prix. Les gouvernements provinciaux et certaines grandes municipalités émettent également des bons du Trésor.

vente pour chaque échéance. À 14 h (à 13 h 30 depuis janvier 1995), la Banque répond aux soumissions par un formulaire qui apparaît au même écran. Un logiciel a réparti les bons en commençant par le soumissionnaire dont l'offre ou les offres comportent le rendement le plus bas, puis au soumissionnaire offrant le deuxième rendement le plus bas, et ainsi de suite jusqu'au placement complet de l'émission. Ce système minimise le coût d'emprunt du gouvernement, tout en accordant une chance égale aux différents opérateurs. Une disposition créée à l'intention des petits courtiers permet à tous d'obtenir au moins une tranche de 2 millions $ au taux moyen de l'adjudication. À ce taux d'intérêt moyen des soumissions, on ajoute 25 points de base afin d'obtenir le taux d'escompte. Cette méthode pour déterminer le taux d'escompte changera en 1996. Aujourd'hui, celui-ci est ainsi fixé à 5,71 %, soit « une baisse plutôt grande », mais pas anormale, de 21 points. Le résultat est immédiatement diffusé par communiqué de presse. On y indique aussi les rendements maximal et minimal des soumissions acceptées. L'écart entre le rendement moyen et le rendement le plus élevé est un indicateur de dispersion, appelé « queue de l'émission », qui traduit le degré d'incertitude du marché. L'écart est habituellement d'un point de base, signe d'un consensus élevé sur le rendement approprié pour les bons, ce qui est le cas aujourd'hui. Un écart de 7 ou 8 points indiquerait que le marché hésite sur la direction à prendre. Les caractéristiques de l'émission de la semaine prochaine sont également divulguées et, sur la base de cette information, banques et courtiers commencent à transiger une nouvelle génération de *W.I.* Plusieurs mercredis par mois, la même procédure est engagée pour vendre les obligations négociables du gouvernement du Canada. Les échéances sont à deux, trois, cinq, dix et trente ans ; une seule échéance est émise à la fois.

Près de 40 banques et courtiers en valeurs mobilières possèdent le statut de distributeur initial des bons du Trésor. Ils achètent l'émission pour la revendre. Un sous-groupe de 11 gros joueurs (les grandes banques canadiennes ou leur filiale de courtage, plus les courtiers américains Merrill Lynch et Goldman Sachs), appelés agents agréés ou *jobbers,* se sont engagés auprès de la banque centrale pour participer toujours activement aux enchères et pour acheter toute l'émission si les autres participants devaient la bouder. Ils sont censés maintenir un marché secondaire actif après l'émission, en cotant un cours vendeur et un cours acheteur. Ce marché est dit au comptoir, c'est-à-dire que les bons se négocient au téléphone, entre institutions financières, et non en bourse. Les *jobbers* accaparent habituellement entre 90 % et 95 % d'une émission de bons du Trésor ; il n'est pas rare qu'un seul joueur en ramasse jusqu'au tiers, le maximum permis. La Banque du Canada présente aussi sa soumission et achète une partie des bons du Trésor, pour ses propres besoins et pour d'autres banques centrales qui veulent placer leurs réserves en dollars canadiens dans un titre liquide et rentable.

★ ★ ★

TORONTO

Ce même jour, en fin d'avant-midi, les opérateurs du marché monétaire bavardent entre eux au téléphone. C'est l'heure du curieux rituel qui précède chaque mise aux enchères. La rue jacasse à qui mieux mieux ; on fanfaronne, joue la comédie, colporte des rumeurs, se fait de prétendues confidences et sème des sous-entendus. Tous cherchent à savoir comment chacun se place pour l'adjudication. En principe, cette forme de collusion est tout à fait illégale ; en pratique, le mensonge et la duplicité sont tellement répandus que personne ne prend au mot ce que l'autre lui a dit. Dans la rue, on se rappelle toutefois une exception fort grave. En mai 1991, cinq opérateurs ont raflé la totalité de l'émission d'obligations. Leurs soumissions portaient chacune sur le maximum permis de 20 % des obligations (cette limite est plus basse que pour les bons du Trésor) et le taux de rendement offert était identique jusqu'à la dernière décimale. Un résultat beaucoup trop symétrique pour être attribué au hasard. Aux États-Unis, cette situation aurait provoqué un scandale et déclenché enquêtes publiques et poursuites judiciaires. Salomon Brothers a été convaincu, en 1990 et en 1991, d'avoir violé la règle américaine limitant à 35 % la quantité de bons du Trésor que peut acheter un seul opérateur. Le courtier avait tenté de créer une rareté des titres et d'en manipuler le prix. La direction de Salomon a dû démissionner et a été condamnée à de lourdes amendes. Les Canadiens préfèrent laver leur linge sale en famille. La Banque du Canada a mené une enquête discrète, mais n'a rien pu prouver. Une sévère réprimande a néanmoins été faite aux institutions impliquées et le règlement fut resserré. L'affaire a été étouffée.

La danse aux sept voiles qui précède les adjudications permet tout de même aux opérateurs expérimentés de détecter certains signaux. Aujourd'hui, Steve Scrimshaw, chef négociateur du marché monétaire à la Banque Royale, en déduit que la clientèle institutionnelle a amassé des bons du Trésor sur le marché des *When Issued* ; lui-même a reçu des commandes en provenance de l'étranger, au cours des derniers jours, comme ce compte spéculatif de Hong-kong qui a acquis plusieurs centaines de millions de papiers à échéance d'un an. Une bonne partie de ces transactions était liée à des opérations complexes.

À titre de *jobber*, la Royale doit toujours participer à l'adjudication, mais Scrimshaw se demande s'il doit forcer le jeu ou se montrer prudent. Ce matin, certains de ses clients ont revendu des *W.I.* pour faire des profits. Combien d'autres en ont fait autant ? Il ne le sait pas et cela le tracasse. Avant les enchères, la position nette de la Royale

27

Une opération de couverture

Une opération de couverture (*hedging*) sert à protéger une position en compte ou à découvert jugée trop risquée. Les opérateurs se couvrent en prenant une seconde position contraire à la première : les pertes enregistrées par l'une sont compensées par les gains de l'autre. Par exemple, pour couvrir son achat de bons du Trésor (une position en compte), le courtier vend à découvert des BAX, le nom d'un contrat à terme portant sur une quantité standard d'acceptations bancaires à trois mois. Comme le cours des acceptations bancaires fluctue en symbiose avec celui des bons du Trésor, toute perte attribuable à une baisse du prix des bons du Trésor détenus en stock par le courtier sera compensée par un profit équivalent sur les BAX. Le courtier dénoue ses contrats de BAX au fur et à mesure qu'il vend ses bons du Trésor.

---

représente un découvert supérieur à 100 millions $ en bons à un an. Scrimshaw fait donc une soumission pour environ 25 % des titres mis en vente, une proportion proche de sa part de marché. À 14 h, il découvre qu'il n'en a obtenu que 700 millions $, soit seulement 10,3 % des bons. La Royale perdra près de 200 000 $ dans cette opération. Lorsqu'elle a acheté des bons sur le marché secondaire pour livrer les bons vendus à découvert, elle a dû payer un prix plus élevé que le prix de vente.

Un autre joueur a emporté beaucoup plus que sa part. Bob Telley, vice-président principal et directeur du marché monétaire chez le courtier Lévesque, Beaubien, Geoffrion, découvre avec stupeur qu'il a ramassé 12 % des bons, quatre fois plus qu'à l'accoutumée. « Je n'aimais pas le marché, raconte-t-il. Il était clairement à découvert. » Mais quinze minutes avant les enchères, Telley reçoit une grosse commande d'un *hedge fund* américain : ce fonds de placement spéculatif veut 200 millions $ en bons à six mois. Dans son carnet, Lévesque a déjà deux commandes de compagnies d'assurances canadiennes ainsi qu'une troisième provenant d'une caisse de retraite ; au total, des ordres pour 375 millions $ à des termes de 6 mois et 1 an. Rien pour

---

Le taux d'escompte

Le taux officiel d'escompte (*Bank rate*) est le taux d'intérêt que la Banque du Canada exige pour des prêts de découvert ou pour des avances qu'elle consent aux banques à charte. Il était arrêté de manière mécanique en majorant de 25 points de base le taux moyen de l'adjudication des bons du Trésor à trois mois, chaque mardi. À compter d'avril 1996, le taux d'escompte sera égal à la limite supérieure de la fourchette d'opération de la Banque du Canada sur le taux des fonds à un jour. Le taux d'escompte ne fluctuera plus avec le cours des bons du Trésor. Lorsque la banque centrale annoncera un changement du taux d'escompte, ce sera pour indiquer clairement qu'elle resserre ou qu'elle relâche les conditions du crédit.

---

les trois mois. Telley doit se brancher rapidement. Se laissant porter par ces ordres, il place une enchère plutôt musclée. Trop musclée : il obtient 890 millions $ de bons, dont 250 millions $ en titres à trois mois. Pour limiter le risque, Telley se couvre en vendant des contrats à terme à la Bourse de Montréal. Toute la semaine, les vendeurs de Lévesque trimeront dur pour placer les bons. La maison perdra 25 000 $ dans cette opération. Pendant ce temps, à Montréal, la trésorerie de la Banque Nationale — propriétaire de Lévesque, Beaubien, Geoffrion — obtenait pour 270 millions de bons, mais pas le moindre bout de papier à un an, où elle était légèrement à découvert. « Quelqu'un les a *squeezés* », affirme le négociateur Jérôme Bernier, qui n'a pas la moindre idée de la position de Telley. Les deux hommes sont concurrents. Cette situation loufoque prendra fin en 1996, lorsque la salle de marché de la banque fusionnera avec celle du courtier. Ce regroupement des forces dans les valeurs à revenu fixe se généralise au Canada.

Le commerce sur les bons du Trésor qui s'engage après l'adjudication est proprement gigantesque. Dans la semaine suivante, le volume des transactions atteindra 110 milliards $! C'est vingt-trois fois plus que le volume de toutes les transactions enregistrées aux bourses de Toronto et de Montréal. Les distributeurs initiaux ont réalisé les deux tiers de ces transactions entre eux, le reste avec des institutions financières telles que des compagnies d'assurances, des caisses de retraite, des fonds communs de placement, des fiducies, etc. Près d'une transaction sur dix impliquait un investisseur étranger. Les institutions financières canadiennes ne font pas que s'échanger des bons du Trésor, elles en achètent d'énormes quantités afin d'y investir une partie de leurs fonds. En 1992, elles possédaient plus de 44 % des bons du Trésor en circulation ; les particuliers en détenaient près de 22 %, les entreprises commerciales 7 %, la Banque du Canada 9 %, les divers gouvernements et administrations publiques plus de 4 %, et les étrangers 13 %.

La visibilité du taux d'escompte dans les médias est un prétexte commode pour les banques qui changent leurs taux administrés. Cet après-midi, une minute après l'annonce du taux d'escompte, la Banque Royale réduit son taux de base à 7 %, un modeste repli de 25 points de base. Les autres institutions emboîtent le pas rapidement.

Le marché monétaire n'est pas le seul à obtenir une bonne performance aujourd'hui. Dans les échéances plus longues du marché obligataire, les taux ont également reflué, et plus rapidement qu'aux États-Unis. Les écarts de rendement avec les titres américains se sont donc resserrés de 10 à 21 points. Les écarts entre les obligations du Québec et du Canada ont aussi rétréci de 7 points. L'agence de notation de crédit CBRS, de Montréal, a d'ailleurs confirmé la cote « A+ » des obligations de la province. Peu après 18 h, la Banque de Montréal profite de cette embellie pour annoncer une réduction de 25 points de base de ses taux hypothécaires de 1 à 10 ans. La Royale se fait plus racoleuse, avec des baisses allant jusqu'à 35 points. Les banques fixent normalement leurs hypothèques à environ 2 % au-dessus du rendement de l'obligation du Canada de même échéance. Les hypothèques à un an sont maintenues près du taux de base. Enfin, la bourse canadienne affiche une hausse modeste, imitant en cela le marché américain.

* * *

Le taux de base (ou taux privilégié)

Le taux privilégié (*prime rate*) est encore décrit comme le taux offert aux meilleurs clients commerciaux des banques. En vérité, les meilleurs clients paient souvent un taux bien inférieur. Le taux privilégié n'en est pas moins important, car il sert de point d'ancrage à l'échelle des taux à court terme administrés par les banques, de la marge de crédit personnelle à l'hypothèque ouverte à un an. L'expression taux de base est donc plus juste. Les banques se fient surtout aux acceptations bancaires et au papier commercial, qui fluctuent avec les bons du Trésor, pour fixer leur taux de base. Ce taux doit demeurer concurrentiel car les grandes entreprises ont le choix pour leurs emprunts à court terme : frapper à la porte des banques ou émettre du papier commercial ou des acceptations bancaires.

OTTAWA , 14 SEPTEMBRE 1994

Ce matin, *La Presse* titre : « L'euphorie s'empare des marchés financiers » et *The Financial Post :* « Le dollar s'envole, libéré de la politique ». Dans la salle de marché de la Banque du Canada, on se demande si les choses ne sont pas allées un peu trop loin, un peu trop vite. Un analyste qui possède une longue expérience à la Banque explique les emportements des marchés financiers : « Les modes créent des problèmes, dit-il, car les marchés ont un instinct de troupeau. Tous les participants craignent de manquer quelque chose s'ils ne sautent pas sur l'occasion. Alors ils sautent tous sur le même bout du bateau, ce qui le fait chavirer. » Dans la mesure du possible, la banque centrale cherche à tempérer ces excès.

Tôt ce matin, la Banque Royale interprète difficilement un gonflement de l'encaisse dans le compte du gouvernement : la banque centrale souhaite-t-elle une autre baisse des taux ? Pour en avoir le cœur net, la Royale veut tester la permissivité de la Banque du Canada et consent deux prêts de fonds à un jour à 4 7/8 %, sous le plancher des derniers jours. Un quart d'heure plus tard, à 10 h 45, la banque

---

Les opérations d'*open market*

Les interventions directes de la banque centrale sur le marché monétaire sont appelées opérations d'*open market* (même en français). Elles sont décidées à Ottawa, mais exécutées par les négociateurs des bureaux de Toronto et de Montréal. Les plus classiques, mais les moins fréquentes, consistent à acheter ou à vendre des bons du Trésor à trois mois sur le marché secondaire ; un achat accroît la demande pour les bons du Trésor, ce qui en fait augmenter les prix et baisser le taux de rendement. Une vente produit l'effet inverse. Rappelons que le rendement des bons du Trésor est égal à la différence entre la valeur nominale remboursée à l'échéance et le prix d'achat. Plus le prix est élevé, plus l'écart avec la valeur nominale est mince, plus faible alors est le taux de rendement. Bref, un achat de bons fait baisser le rendement, tandis qu'une vente provoque un mouvement inverse. Cette technique classique n'est pas celle que préfère la banque centrale : elle l'utilise cependant pour stabiliser le marché monétaire quand les autres techniques ne suffisent pas à la tâche.

---

centrale intervient directement pour dissiper tout malentendu. « On a dit au marché : pour un petit bout de temps, même si le dollar s'est rétabli, assez c'est assez ! », affirme un de ses cadres. Pour l'instant, les fonds à un jour ne doivent pas descendre sous les 5 %.

Ce matin, la banque centrale a offert aux grandes banques des cessions en pension au taux de 5 %, seuil qu'elle souhaite maintenir pour le financement à un jour. Une seule a accepté l'offre, mais toutes ont compris le message. Une transaction type avec une banque s'inscrit dans une plage de 100 à 300 millions. L'intervention totale peut atteindre le milliard de dollars. Parfois, l'offre ne donne lieu à aucune transaction, notamment quand il s'agit d'une cession en pension. Les manuels d'économie mentionnent encore que la Banque du Canada fait parfois appel à la persuasion morale pour inciter les banques à modifier leur comportement. On ne procède plus ainsi depuis de nombreuses années, insiste-t-on à Ottawa. Cet outil est tombé en désuétude. La Banque actionne les leviers des marchés financiers afin d'influencer les taux d'intérêt et le dollar.

Les opérations de pension

Les opérations de pension (*repos*) permettent aux institutions financières d'emprunter ou de prêter des liquidités à très court terme. Au-delà d'une mécanique complexe, elles se résument à un prêt dont le remboursement est assuré par des titres donnés en garantie (nantissement), et dont le taux d'intérêt est celui des fonds à un jour. Ces opérations sont très fréquentes au Canada : leur volume quotidien atteint 50 milliards $. D'une manière plus formelle, une mise en pension est une vente d'obligations ou de bons du Trésor avec engagement de les racheter à une date ultérieure. L'opérateur qui place des titres en pension chez une autre institution obtient en retour des liquidités et verse un intérêt jusqu'à ce qu'il rachète les titres. La prise en pension est l'opération inverse : l'opérateur achète les titres d'un autre — il prête ses liquidités — et reçoit un intérêt jusqu'à la revente des titres. La vente et le rachat se font au même prix. Lorsque la Banque du Canada procède à de telles opérations, elle offre un taux d'intérêt que tous les opérateurs reconnaissent comme le taux à un jour souhaité par les autorités monétaires. Les interventions pour annoncer un changement de fourchette dicté par les facteurs fondamentaux de l'économie ou pour ajuster les conditions monétaires (la combinaison du taux de change et des taux d'intérêt à court terme) se font habituellement vers 9 h. Les interventions pour apaiser les marchés peuvent survenir n'importe quand dans la journée. On en distingue deux types : la prise en pension spéciale (*Special Purchase and Resale Agreement-SPRA*) et la cession en pension (*Sale and Repurchase Agreement-SRA*). Il s'agit de transactions d'achat ou de vente qui durent un jour et qui sont dénouées le lendemain. Dans la prise en pension spéciale, la Banque achète des bons du Trésor et parfois des obligations à trois ans et moins et s'engage à les revendre le lendemain. Dans les cessions en pension, la Banque vend des bons et s'engage à les racheter le lendemain[5].

* * *

Contraintes et enjeux du débat

La mondialisation du capital n'est pas à notre porte. Elle s'est déjà installée dans nos meubles depuis un bon moment... Il est banal qu'un spéculateur de Hong-kong, qui n'a peut-être jamais mis les pieds au Canada, qui ne sait peut-être pas que l'on parle français au Québec, achète des centaines de millions de bons du Trésor à l'occasion d'une élection provinciale, et les revende à perte ou avec profit quelques jours plus tard. Il n'a qu'à prendre le téléphone, les capitaux suivent le timbre de sa voix. On aime mieux ne pas y penser, mais les Canadiens font la même chose pour gagner quelques points de base. Dans cette incessante quête du profit, les marchés carburent à l'information. Chaque bribe est saisie, interprétée et jugée en quelques secondes — sans appel.

S'il est une information qui émeut les marchés, c'est bien l'ombre d'un début d'inflation. À l'occasion du budget de février 1991, John Crow, gouverneur de la Banque du Canada et Michael Wilson, le ministre des Finances, se sont formellement engagés « à faire baisser graduellement l'inflation à 2 % d'ici 1995 et à continuer de progresser vers la stabilité des prix par la suite ». Cette politique restrictive a réussi au-delà de toute attente : de 6 % en 1991, l'inflation a chuté à presque 0 % en 1994. Mais le prix payé fut une récession plus sévère et plus longue que dans les autres pays industrialisés, ainsi qu'un gonflement des déficits budgétaires. Pour casser l'inflation, la Banque du Canada a maintenu l'argent cher, promettant de faibles taux d'intérêt quand l'inflation serait enfin terrassée. Elle a pu favoriser une baisse des taux, tant que la Fed poussait dans la même direction ; cependant, en février 1994, lorsque la banque centrale américaine a renversé la vapeur pour contrer une possible résurgence de l'inflation dans ce pays, la Banque du Canada a déchanté. Les étrangers refusèrent d'acheter bons du Trésor et obligations dès lors que ces placements avaient cessé de rapporter un rendement nominal plus élevé que les titres américains. Même si l'inflation canadienne était plus faible qu'aux États-Unis, même si son retour en était fort éloigné, même si les taux réels cana-diens demeuraient encore parmi les plus généreux des pays de l'OCDE, la Banque du Canada a dû resserrer le crédit. Et pour ne pas étouffer la reprise économique, elle a laissé glisser le dollar.

La combinaison du taux de change et des taux d'intérêt détermine ce que la Banque du Canada appelle les conditions monétaires. Une baisse du dollar canadien compense partiellement une hausse des taux d'intérêt, car elle favorise les exportations, et donc la croissance[6]. La banque centrale ne fixe pas les taux d'intérêt, pas plus que le taux de change. Si elle disposait de cette latitude, elle choisirait des taux bas et un dollar fort. Elle exerce cependant une influence réelle sur ces variables : elle peut ralentir ou accélérer une tendance alimentée par les forces du marché, mais elle est incapable de la renverser de façon durable. La Banque du Canada ne peut même pas prévoir avec assurance le niveau du dollar ou des taux d'intérêt, malgré toute son expertise et ses informations privilégiées. Il y a un an, personne, dans cette vénérable institution, ne pensait que les taux d'intérêt seraient aussi élevés qu'ils le sont aujourd'hui. Les prévisions économiques de la banque centrale sont réservées à un usage interne et ne sont dévoilées qu'au ministre des Finances.

Si les investisseurs étrangers exigent des rendements nominaux plus élevés qu'aux États-Unis, c'est peut-être que la Banque du Canada ne les a pas convaincus qu'elle pourra maintenir à long terme la stabilité des prix. Car des nombreuses manières de gérer le surendettement, la plus simple est de monétiser la dette ou, en d'autres mots, d'imprimer de l'argent pour la payer. Toutes les banques centrales ont ce pouvoir. En autant, bien entendu, que la dette soit libellée dans la monnaie nationale, comme c'est le cas du gouvernement fédéral[7]. Il suffirait à la Banque du Canada d'acheter plus d'obligations et de bons du Trésor et de les payer avec de nouveaux billets. Le gouvernenement les utiliserait pour acheter des biens et services, ou encore pour verser des pensions aux retraités et des subventions aux entreprises. Cet argent neuf circulerait dans l'économie et gonflerait la masse monétaire. Cependant, lorsque la quantité d'argent s'accroît plus vite que la quantité limitée de biens et de services disponibles, les prix s'envolent. L'histoire a abondamment démontré que chaque fois qu'une banque centrale abuse de la planche à billets, l'inflation s'emballe.

L'inflation inflige toutes sortes de maux, mais elle offre un avantage séduisant aux gouvernements et aux personnes lourdement endettées. Elle fait en sorte que le poids de la dette diminue avec les années. Rembourser 100 $ dans dix ans est moins coûteux si, entre-temps, un taux annuel d'inflation de 5 % a réduit le pouvoir d'achat à 60 $. Surtout si les revenus du gouvernement suivent l'inflation, comme c'est habituellement le cas lorsque l'impôt frappe à des taux d'imposition de plus en plus élevés les salaires qui augmentent avec les prix. Le pouvoir d'achat des individus est ainsi transféré à l'État. L'inflation non prévue est une calamité pour celui qui a prêté de l'argent ; on lui rembourse un capital qui a perdu de sa valeur. Durant les années 70, lorsque l'inflation à deux chiffres prévalait en Occident, ceux qui avaient prêté leur capital reçurent un intérêt inférieur à l'inflation. Ils en firent une maladie. Donc, si les investisseurs ont l'impression que la dette sera monétisée, ils n'attendront pas le retour de l'inflation pour réagir. Les détenteurs de capitaux canadiens exigeront des taux d'intérêt encore plus élevés pour compenser ce risque. Les investisseurs étrangers ne vivent pas au Canada : ils ne souffriraient pas d'une hausse des prix. Mais ils savent qu'un pays qui tolère un taux d'inflation plus élevé que ses voisins voit sa monnaie se déprécier par rapport aux autres devises ; or, on ne saurait trop insister sur l'importance des mouvements de change dans la décision que prend un étranger pour acheter des titres canadiens. Les étrangers craignent d'être remboursés avec des dollars canadiens qui auront moins de valeur lorsqu'ils seront convertis dans leur monnaie. Le gouverneur Gordon Thiessen admet que « de gros déficits et l'accumulation de la dette qui en résulte peuvent occasionner de la nervosité sur les marchés financiers parce que, par le passé, les pays ont fréquemment tenté de réduire le fardeau de leurs dettes par l'inflation. Les investisseurs exigent donc des taux d'intérêt plus élevés pour se protéger contre ce risque ». La Banque du Canada maintiendra sa politique de stabilité des prix, quelle que soit la situation budgétaire du gouvernement, a-t-il assuré[8].

Ce mardi 13 septembre, la Banque du Canada a émis des bons du Trésor pour 6,8 milliards $. De ce montant, 5,9 milliards $ ont servi à rembourser des bons échus. À titre d'agent du ministère des Finances, la banque centrale a ainsi renouvelé le financement de 1 millième de 1 % de la dette fédérale. La semaine prochaine, elle en émettra pour 8 milliards $. Au cours des cinq prochaines années, le gouvernement devra vendre 400 milliards $ en bons du Trésor et en obligations, soit tout le poids de sa dette contractée sur les marchés. Sans compter les nouveaux déficits.

LE MARCHÉ OBLIGATAIRE

CANADIEN

MERCREDI 21 SEPTEMBRE 1994

Dès qu'il met le pied dans la salle de marché, à 7 h 30, Jim se fait apostropher par Frank :

— Les Japonais ont vendu cette nuit !

— Ah oui ?

— Étais-tu couvert ?

— Oui ! Oui !

La rumeur dit que des investisseurs japonais ont vendu 4 milliards $ CAN d'obligations de la Saskatchewan, de Terre-Neuve, du Québec, de la Colombie-Britannique et de l'Île-du-Prince-Édouard. Jim est teneur de marché pour des obligations provinciales et Frank vend des obligations aux clients institutionnels.

Ici, les négociateurs travaillent coude à coude. Impossible d'avoir une conversation privée. Certains personnalisent quand même leur coin de travail. Jim a collé sur ses écrans des maximes comme en ramassent les adolescentes romantiques : « Mieux vaut être un chien vivant qu'un lion mort », « Patience et discipline », « Pensez à tort si vous voulez, mais dans tous les cas pensez par vous-même », « L'incertitude crée des occasions »...

L'obligation

Une obligation est un titre d'emprunt remis par un gouvernement, un organisme public ou une société à ceux qui lui prêtent des capitaux pour une période variant entre 2 et 30 ans. L'obligation est composée de deux parties : le principal ou montant nominal, soit la somme empruntée et remboursée à l'échéance, et le coupon d'intérêt, un montant généralement fixe versé au détenteur deux fois par année. Les obligations, vendues en coupures variant de 1000 $ à 1 million $, sont destinées aux investisseurs institutionnels (caisses de retraite, compagnies d'assurances, banques, fonds communs de placement, etc.). Les obligations gouvernementales ne sont pas remboursables avant l'échéance, mais celles qui sont émises par les entreprises le sont parfois à certaines conditions. Après leur émission par l'emprunteur, les obligations peuvent être vendues et achetées en tout temps sur le marché secondaire. Les obligations sont à distinguer des obligations d'épargne, destinées aux petits épargnants, qui se vendent en petites coupures de 100 $ et 1 000 $. Les obligations d'épargne sont remboursables en tout temps, au gré du porteur, mais elles ne se négocient pas sur un marché secondaire.

Je suis en stage chez un courtier pour apprendre les rudiments du marché obligataire canadien. Mes hôtes exigent l'anonymat ; la firme cultive la discrétion avec assiduité. Ce sera la seule fois, dans ce livre, que le nom des personnes aura été changé, ainsi que le montant (mais non les prix) de certaines transactions. Tout le reste est tel que je l'ai observé.

Le poids du marché obligataire canadien dépasse 500 milliards $, soit 100 milliards $ de plus que la capitalisation du marché boursier, c'est-à-dire la valeur totale des actions de toutes les sociétés cotées. Les emprunts du gouvernement fédéral représentent 64 % de l'ensemble, les titres des provinces 24 %, ceux des sociétés 10 %, et les valeurs municipales 1 %. Lorsque les gouvernements empruntent, les courtiers en valeurs mobilières placent les obligations auprès des investisseurs : c'est le marché primaire. Règle générale, les investisseurs ne souhaitent pas conserver ces titres jusqu'à l'échéance, surtout si elle est éloignée. Quand ils n'en veulent plus, ils les vendent aux courtiers, qui les revendent à d'autres investisseurs : c'est le marché secondaire. Une même obligation peut ainsi passer entre plusieurs mains. Le volume quotidien des transactions sur le marché secondaire des obligations gravite autour de 70 milliards $, soit plus de trois fois le volume de tous les parquets boursiers du Canada. Les courtiers ne sont pas que des intermédiaires entre les investisseurs institutionnels : ils achètent également des obligations pour leur propre compte.

Une rumeur

La rumeur veut que Québec fasse une émission, apprend Jim, et il ne veut pas être surchargé de Québec quand cela arrivera, d'autant plus que son instinct est baissier (*bearish*) à l'égard du marché obligataire. Avec ses collègues, il discute de la rumeur, largement répandue sur le marché. Un financement est-il possible avant l'assermentation du nouveau gouvernement ? Y a-t-il une demande ? Où est-elle ? Une émission du Québec sur le marché canadien varie habituellement entre 300 et 400 millions $ CAN. À titre de membre du syndicat financier de la province, ce courtier devra en placer plusieurs dizaines de millions $.

Jim se décharge donc d'une partie de ses Québec. (Dans les salles de marché, quand on parle des Québec, des Ontario ou des Canada, on veut parler des obligations des gouvernements du Québec, d'Ontario ou du Canada.) À 9 h, il vend à une caisse de retraite de taille moyenne 6,5 millions $ CAN d'obligations du Québec échéant en 2000. Jim avait acheté ces titres avant les élections, il y a un mois et demi, d'un courtier japonais établi à Londres ; il avait payé ces obligations 104,06 $ par 100 $ de valeur nominale et les a revendues 104,73 $, dégageant un profit brut de 67 cents.

Quand il achète une obligation, Jim marque le prix et la quantité sur un ticket rose. Il inscrit les transactions de vente sur un ticket bleu.

Le prix des obligations

Le prix des obligations est toujours exprimé pour une valeur nominale de 100 $. La valeur nominale est le montant remboursé à l'échéance. Si un négociateur affirme que les Québec à cinq ans ont gagné 67 cents, il veut dire que les obligations du Québec remboursables dans cinq ans se sont appréciées de 0,67 % (67 cents par 100 $ = 0,67 %). S'il annonce que les Canada à dix ans ont perdu 1 $, c'est que les obligations du Canada échéant dans dix ans se sont dépréciées de 1 % (1 $ par 100 $ = 1 %). L'obligation à cinq ans vendue par Jim offre un taux de coupon de 10 %. Ce taux était celui du marché au moment de l'émission, en octobre 1989. Or, le taux du marché est maintenant de 9 %. Parce que le taux du coupon de cette obligation du Québec rapporte plus que le taux de rendement du marché, son prix est aujourd'hui plus élevé. Une obligation se vend à un prix qui dépasse la valeur nominale lorsque l'intérêt versé par le coupon est supérieur au taux du marché ; on dit alors qu'elle se négocie à prime. En revanche, une obligation se vend en deçà de sa valeur nominale lorsque l'intérêt du coupon est inférieur au taux du marché ; on dit alors qu'elle se négocie à escompte. Les obligations seront dites au pair si l'intérêt du coupon est égal au taux du marché. De cette démonstration, nous ferons une observation fondamentale : **lorsque les taux d'intérêt augmentent, la valeur des obligations baisse ; lorsque les taux d'intérêt baissent, la valeur des obligations augmente.**

Les prix sont importants, mais Jim surveille davantage le taux de rendement des obligations, une mesure plus utile que le prix, car elle incorpore et le prix (qui change tout le temps) et le taux d'intérêt du coupon (qui ne change jamais). En simplifiant, on peut dire que le taux de rendement à l'échéance est le revenu annuel obtenu d'une obligation qui serait conservée jusqu'à l'échéance, compte tenu du prix payé. Les spécialistes préciseront que ce revenu est actualisé. Jim cote des prix à ses clients et surveille les taux de rendement, mais il scrute

Les écarts de rendement

Un écart est la différence de taux de rendement entre des obligations de même échéance de deux emprunteurs. Les opérateurs surveillent ces écarts sur le marché secondaire, car ils constituent une mesure du risque qui sépare les emprunteurs. Plus l'écart est grand, plus l'obligation comparée est risquée. La variable est importante, car si la qualité du crédit d'un emprunteur se détériore, la valeur relative de ses obligations baisse et vice versa. La situation financière de l'emprunteur, l'état de son économie et le climat politique sont les principales sources de risque qui distinguent les obligations gouvernementales les unes des autres. Une obligation dont l'écart se resserre est plus performante que l'obligation de référence. Une obligation dont l'écart s'élargit l'est moins. Les écarts fluctuent à l'intérieur d'une fourchette : une obligation dont l'écart est grand par rapport à la moyenne historique, est jugée relativement bon marché par les investisseurs ; quand l'écart est étroit, on l'estime chère. D'une manière générale, les investisseurs achètent les obligations aux écarts larges (elles sont bon marché) s'ils pensent que ces écarts vont se contracter et que l'obligation gagnera en valeur. Au contraire, ils vendent une obligation qui se négocie à des écarts historiquement étroits (elle est chère), s'ils pensent que ceux-ci vont s'élargir et que l'obligation perdra en valeur relative. L'écart d'une obligation « A » se resserre si son taux de rendement augmente moins vite que celui de l'obligation « B », qui sert d'étalon. Puisque toute augmentation du rendement diminue le prix d'une obligation, l'obligation « A » aura moins perdu en valeur que l'obligation « B ». L'écart se rétrécit également lorsque le rendement de « A » baisse plus rapidement que celui de « B ». Dans ce deuxième cas, « A » aura enregistré une plus grande plus-value que « B ». En conséquence, une décision judicieuse concernant les écarts permet au gestionnaire de portefeuille de perdre moins d'argent, lorsque le marché obligataire est baissier, et d'en faire davantage lorsqu'il est haussier.

par-dessus tout les écarts de rendement entre les obligations du Québec et celles du Canada. Car, sur le marché obligataire, tout se mesure en écarts. Au Canada, l'étalon qui permet d'évaluer les titres d'emprunt est l'obligation du gouvernement du fédéral. L'obligation du Canada est elle-même mesurée en terme d'écart de rendement avec l'obligation du gouvernement américain, la *US Treasury*.

Quand Jim a acheté les Québec à cinq ans, elles offraient un rendement de 56 points de base supérieur aux Canada de même échéance. Il les a revendues avec un écart de 43 points. Conclusion : le marché juge les obligations du Québec moins risquées, maintenant que l'incertitude des élections s'est dissipée. Elles valent donc plus cher.

Toutefois, pour calculer le profit net de cette opération, Jim doit également tenir compte d'une opération parallèle de couverture. Lorsqu'il a acheté les Québec, il a vendu à découvert une quantité identique de Canada de même échéance. La position à découvert sur les Canada neutralisait la position en compte sur les Québec, en ce qui concernait le risque inhérent à l'évolution des taux d'intérêt au pays. Toute perte subie dans la position en compte, à la suite d'une hausse des taux, serait compensée par un gain identique sur la position à découvert. Inversement, tout gain enregistré sur les obligations en compte, à la suite à une baisse des taux d'intérêt, serait compensée par une perte équivalente dans la position à découvert.

Cette protection était parfaite tant que l'écart qui séparait les Québec des Canada demeurait stable. De fait, Jim avait gagé que cet écart diminuerait après les élections, comme cela s'était déjà produit. Jim s'était protégé de la volatilité des taux d'intérêt, mais il avait spéculé sur une diminution du risque perçu sur les obligations du Québec. Il a réalisé un profit de 43 717 $ sur les Québec, mais une perte de 21 007 $ en rachetant les Canada vendues à découvert. Compte tenu des intérêts gagnés durant la période de détention des Québec, son profit net est de 34 485 $.

« Le marché est un animal puissant, affirme le vendeur Frank. Il faut que tu le respectes. Si tu ne fais pas attention, tu te fais manger en cinq minutes. » Dans une transaction, explique-t-il, le vendeur souhaite vendre son obligation à un prix élevé, tandis que l'acheteur veut l'obtenir à bas prix. Comme la rencontre simultanée des deux parties est rare, le courtier achète l'obligation, l'inscrit dans ses livres et cherche à la revendre dans les heures ou les jours suivants. C'est un travail risqué que d'acheter une marchandise que l'un juge chère ou de mauvaise qualité, pour la revendre à un autre, qui la trouvera de qualité et bon marché. Et comme tout commerçant, le courtier cherche lui aussi à faire de l'argent en vendant sa marchandise plus cher qu'il ne l'a payée. Pas facile, quand les prix bougent sans arrêt. « T'es content si tu fais de l'argent deux fois sur trois », dit Frank.

Une émission d'obligations du Canada

L'émission de Québec est une rumeur difficilement vérifiable, car les provinces annoncent leurs emprunts à la toute dernière minute. De fait, Québec ne fera pas d'émission publique sur le marché canadien cette année. Mais la vente aux enchères de 2,3 milliards $ d'obligations à cinq ans du gouvernement du Canada, cet après-midi, est une certitude. C'est le travail de Tom. Les provinces attendent le moment propice pour emprunter, mais Ottawa suit un calendrier trimestriel précis. Et ces jours-ci, le marché n'est pas favorable. Tous les indices enregistrent de fortes baisses, à l'exception du dollar canadien et de l'or. Le prix des Canada suit donc le mouvement baissier des *US Treasuries*. Les investisseurs craignent le retour de l'inflation aux États-Unis. Les courtiers canadiens doivent participer à toutes les adjudications, beau temps mauvais temps.

Tom me montre du doigt un chiffre qui scintille sur un écran, puis qui disparaît. « Tiens ! Une transaction de 120 millions $; des Canada à cinq ans », dit-il. C'est l'écran de Freedom Bond Brokers, la vitrine des transactions orchestrées par ce courtier intercourtier. Chaque courtier en valeurs mobilières ou banque peut communiquer à Freedom (ou à son concurrent Shorcan International Brokers) un prix d'achat ou de vente pour une quantité quelconque de l'une ou l'autre des obligations du Canada. Pour chaque obligation, Freedom affiche le meilleur prix offert, le meilleur prix demandé et les quantités correspondantes, tout en préservant l'identité de ceux qui font ces propositions. Si, quelque part dans le monde, un opérateur est intéressé par ce qu'il voit sur cet écran, il téléphone au courtier intercourtier pour lui annoncer qu'il veut conclure l'une ou l'autre des transactions proposées. Dès lors, la proposition retenue scintille à l'écran, puis disparaît. La transaction est réalisée dans l'anonymat le plus strict. Plus de 40 % du volume enregistré sur le marché secondaire passe par les écrans des courtiers intercourtiers. En ce moment, observe Tom, « le marché rebondit sur le plancher ». Les transactions se concluent aux prix les plus bas des derniers jours. Il craint que le marché ne défonce ce plancher.

Tom doit prendre des décisions importantes aujourd'hui : sera-t-il audacieux ou timoré pour la soumission des obligations à cinq ans ? Comment doit-il se situer pour ces enchères : en compte ? ou à découvert ? À 9 h 30, il a discuté avec le négociateur d'un courtier américain qui n'a vu aucun intérêt pour ces titres. À 9 h 45, Tom se place à découvert d'environ 120 millions $. Il vend donc à l'avance la plus grande partie des quelque 128 millions $ d'obligations qu'il pense obtenir lors des enchères. « J'aime pas le marché canadien. Les Canada sont chères », explique-t-il.

À 10 h 45, Tom téléphone au représentant de la Banque du Canada et l'avise de ma présence autour de la table. Ensuite, il lui révèle sa position sur les cinq ans. Le négociateur de la Banque du Canada lui demande une longue série de prix. Il veut également savoir s'il a observé un intérêt pour les obligations qui doivent être émises. « Pas encore », répond Tom. Les deux hommes discutent de la déclaration d'un analyste new-yorkais qui prédit une autre augmentation des taux d'intérêt par la Fed, la sixième depuis le début de l'année. Le représentant de la banque centrale ajoute que les ventes d'obligations des Japonais, la nuit dernière, s'expliquent parce qu'ils nettoient leurs livres en vue de la publication de leurs résultats financiers semestriels. Il annonce, enfin, que la Banque du Canada vient de procéder à des prises en pension spéciales de bons du Trésor au taux de 4,75 % ; il a baissé le taux à un jour de 25 points de base.

Après cette conversation téléphonique, Tom est moins pessimiste : il vient d'apprendre que le coût de financement de son stock d'obligations a baissé. Il contacte un courtier américain qui soutient que la baisse du taux à un jour n'est pas assez forte pour que la rue s'enthousiasme pour les cinq ans. Dans l'heure qui suit, Tom passe le plus clair de son temps au téléphone avec différents opérateurs du Canada et des États-Unis, y compris un opérateur qui, dit-il, a la réputation d'être un menteur. Il essaie de deviner l'état d'esprit des quatre ou cinq plus gros joueurs sur le marché. Chacun tente de tirer les vers du nez de l'autre, tout en respectant un tabou : pas question de discuter de la soumission que l'on va présenter. Ce serait de la collusion ! Mais pour survivre, un négociateur doit avoir l'idée la plus juste possible des grands flux de capitaux : qui achète ? qui vend ? en quelles quantités ? et pourquoi ? Ces informations cruciales aident à deviner la direction que prendra le marché dans les prochaines minutes ou les prochains jours. Aucun opérateur n'a cependant une vision complète de ce qui se passe sur le marché, pas même la Banque du Canada. L'information circule rapidement, mais les distorsions sont fréquentes. Les négociateurs tâtonnent parfois dans la brume, sans savoir si le sol se dérobera sous leurs pieds.

En fin d'avant-midi, Tom opère un arbitrage le long de la courbe des taux de rendement, une opération des plus classiques. Il achète

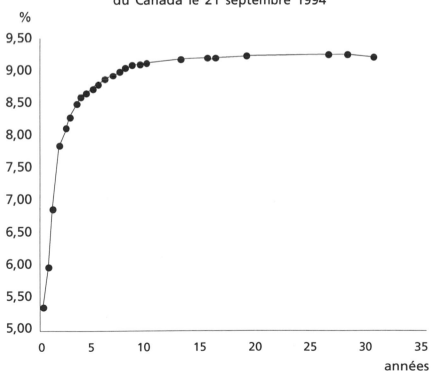

**LA COURBE DES RENDEMENTS EST ACCENTUÉE
À COURT ET À MOYEN TERME ET PLATE À LONG TERME**

Courbe des rendements sur les obligations
du Canada le 21 septembre 1994

120 millions $ d'obligations du Canada à cinq ans et vend à découvert 90 millions $ à dix ans. Un arbitrage est une opération d'achat et de vente simultanée dans le but de tirer parti d'une anomalie observée sur le marché. La courbe des taux de rendement à l'échéance est un graphique qui montre le rendement des bons du Trésor et des obligations du Canada pour toutes les échéances, du court au long terme. L'idée est d'acheter une partie de la courbe qui est provisoirement bon marché, car sous pression pour une raison quelconque, et de vendre simultanément une partie plus calme afin de contenir le risque. L'opération est inversée lorsque la courbe est revenue à la normale. Dans le cas présent, les cinq ans sont sous pression parce que le marché anticipe l'offre additionnelle qui proviendra de l'émission de cet après-midi. Cet arbitrage vise 1 cent de profit par 100 $ de valeur nominale. « On cherche le steak, explique Tom ; quand il n'y en a pas, on se lance sur un os de poulet pour en sucer la moelle. » Lorsque les temps sont durs, il n'y a pas de profit trop petit.

À 12 h 20, la Banque du Canada rappelle Tom pour obtenir des cours plus récents et lui annonce que tout se présente bien pour l'émission. À 12 h 25, Tom prépare sa soumission : « J'ai besoin de 118 millions $, dit-il. Mais je vais en prendre 210 millions $. » Pessimiste ce matin, Tom est devenu haussier (*bullish*) ! Il dicte à un négociateur les chiffres de sa soumission, que ce dernier tape dans un formulaire affiché à l'écran d'un ordinateur relié à la Banque du Canada. La quantité : 210 millions $. Pour le taux d'intérêt, Tom annonce 8,6 %. Puis, il précise les deux dernières décimales : 8,630 %. Tom hésite quelques secondes et ordonne un changement : 8,629 % « Envoie ! », dit-il ensuite. Sur les écrans Freedom et Shorcan, les cinq ans s'échangent à 8,64 %. Son offre, plutôt musclée, est calibrée pour décrocher les 210 millions $ d'obligations demandées. Tom a vendu à découvert 120 millions $ de ces obligations. Il vise donc une position en compte de 90 millions $. Dans une heure, il connaîtra le résultat des enchères. Entre-temps, dit-il, « si le marché se plante, t'es fait ! » Il descend dans un café pour avaler un sandwich. Le lunch passe mal. Tom remonte presque aussitôt. Il a encore changé d'humeur : à 13 h 8, il vend encore 69 millions $ à cinq ans.

À 13 h 30, le résultat des enchères apparaît sur l'écran. Les cinq ans sortent au taux moyen de 8,640 %. Tom obtient les 210 millions $, plus les 2 millions $ accordés d'office à tous les courtiers. C'est 9 % de l'émission. En soustrayant ce qu'il a vendu à découvert, Tom se retrouve avec une position en compte de 29 millions $. « Ce n'est pas une bonne adjudication », dit-il en analysant le détail des résultats. La « queue de l'émission », soit l'écart entre la soumission moyenne et la soumission la plus forte, est anormalement longue à deux points de base. Le ratio de couverture — le total des soumissions par rapport à la quantité d'obligations disponibles — n'a jamais été aussi faible à 1,8 : 1.

À 13 h 55, ces obligations ont perdu 25 cents. La valeur de l'ensemble des obligations mises en vente a baissé de 5,7 millions $ en vingt-cinq minutes. Tom est furieux. Ses collègues le taquinent. Tom a protégé sa position de 29 millions $ en vendant à découvert une quantité équivalente de *US Treasuries*. D'autres courtiers ont dû faire la même chose, car le marché américain a fléchi à cinq ans. La couverture est imparfaite. Sur papier, Tom a perdu 90 000 $ parce que le marché canadien a reculé plus vite que le marché américain. Les écarts Canada-U.S. se sont élargis.

Les autres négociateurs cherchent des acheteurs pour les cinq ans. Frank en offre au gestionnaire de la caisse de retraite d'une société de la Couronne : il ne veut pas de Canada ; il préfère les obligations américaines. Les investisseurs institutionnels attendent que le marché ait touché le plancher avant d'acheter. La rue porte l'émission dans ses bras. À 14 h 15, la perte théorique de Tom atteint 180 000 $, mais il pense qu'il parviendra à écouler sa position à profit au cours de la semaine. À 16 h 10, la perte n'est plus que de 42 000 $, car les écarts Canada-US se sont resserrés.

À 16 h 50, Tom s'impatiente et sollicite des offres d'achat (*bids*) d'autres courtiers. « Je n'aime pas le marché », dit-il. Malheureusement, les opérateurs partagent tous ce sentiment. Les offres ne viennent pas ou sont dérisoires. Tom devra attendre. Aujourd'hui, le marché américain a glissé. Le Canada a suivi avec un reflux dans le moyen et le long terme. L'abaissement du taux à un jour a soutenu les bons du Trésor, mais il n'a pas aidé les obligations à cinq ans.

Tom est un des bons négociateurs du marché obligataire canadien. Il possède une formation technique très poussée ; il est entouré d'ordinateurs qui l'abreuvent d'informations quantitatives. Pourtant, en bout de ligne, son attitude se résume à des émotions contradictoires :

« J'aime le marché ! » et « J'aime pas le marché ! »

Une journée à la Caisse de dépôt

MONTRÉAL, JEUDI 13 OCTOBRE 1994

Les négociateurs de la salle de marché obligataire et monétaire de la Caisse de dépôt et placement du Québec tiennent leur réunion matinale. Ils passent en revue les événements de la nuit et les données économiques attendues aujourd'hui, notamment l'indice des prix de gros aux États-Unis. À 8 h 30 précises, le chiffre apparaît sur les écrans : une baisse de 0,5 %. « C'est *bull* ! », s'exclame un négociateur, pour souligner le caractère positif de la nouvelle. Les économistes prévoyaient une hausse 0,1 %. « C'est volatil ! », lance un autre en constatant la hausse immédiate des obligations américaines. Les négociateurs écoutent par un petit haut-parleur une conférence téléphonique tenue à New York par le courtier Goldman Sachs. « Le rapport n'est pas aussi bon qu'il n'y paraît », commente l'analyste américain.

La salle de marché en forme de polygone irrégulier est ceinturée de corridors vitrés et de fenêtres qui donnent sur l'élégante avenue McGill College. Sur sa hampe, le fleur-de-lysé se marie bien avec le bleu clair des murs. La pièce possède deux grandes tables, chacune comprenant huit postes de travail. La première est occupée par les négociateurs d'obligations et la seconde par les négociateurs des marchés monétaire et des changes. Les actions sont négociées dans une autre salle.

Chaque négociateur a devant lui un clavier et un écran d'ordinateur de grande dimension, qui affiche graphiques, listes de prix et nouvelles financières. À côté, il peut analyser d'innombrables données financières sur le petit écran orangé de l'agence Bloomberg. Enfin, pour parler à un courtier, il n'a qu'à toucher son nom sur un écran tactile relié au téléphone. Toutes les conversations sont enregistrées, comme c'est l'usage dans l'industrie. Pour les titres en dollars canadiens, la Caisse fait affaire avec des courtiers de toute taille, pourvu qu'ils possèdent un bureau à Montréal. Pour les obligations libellées en devises étrangères, les négociateurs traitent avec les opérateurs des différentes capitales financières. L'atmosphère est plus bruyante qu'à la

Banque du Canada, mais moins échevelée que chez les courtiers ou les banques. Ici, le volume quotidien des transactions obligataires atteint une moyenne de 200 millions $.

La Caisse de dépôt et placement du Québec est le plus important gestionnaire de fonds au Canada ; il occupe le 123e rang dans le monde. La Caisse administre des fonds pour le compte de dix-huit organismes publics dont la Régie des rentes du Québec et le Régime de retraite des employés du gouvernement. La bête a des allures singulières, mais quand on l'examine de près, aucune de ses activités n'est inédite. Tout ce que la Caisse fait, d'autres le font ailleurs en Amérique du Nord ; elle se distingue plutôt par la combinaison particulière de ses activités. On critique volontiers son influence auprès des entreprises dont elle possède de gros blocs d'actions, mais certaines institutions américaines ont la main encore plus lourde. De plus, on oublie que la moitié de son actif de 47 milliards est composé d'obligations. Et, au fil des ans, elle a cultivé une expertise de pointe pour la gestion de ce portefeuille.

Comme tous les grands investisseurs institutionnels, « on est évalué par rapport à un *benchmark* et notre mandat est de le surpasser »,

---

Le portefeuille

Un portefeuille est un ensemble de titres de placement détenus par un investisseur. Il peut être diversifié ou spécialisé. En
sélectionnant avec soin les valeurs de son portefeuille, le
gestionnaire peut choisir une certaine combinaison de risque
et de rendement. Les grands investisseurs institutionnels sont
heureux s'ils surpassent légèrement le rendement du marché,
car ils savent qu'il est virtuellement impossible avec un portefeuille très diversifié d'obtenir un rendement nettement
supérieur pendant plusieurs années. Un grand portefeuille
diversifié ressemble trop au marché lui-même ; un portefeuille peu diversifié pourrait procurer des résultats plus écla-
tants, mais aussi plus désastreux et de fait, cette situation
engendre un risque que les gestionnaires ne veulent pas
courir.

explique Ernest Bastien, docteur en économie et directeur du portefeuille stratégique, obligations. L'étalon de rendement utilisé est l'indice obligataire ScotiaMcLeod univers, compilé par le courtier du
même nom. La Caisse compare ainsi sa performance au taux de
rendement de l'ensemble du marché obligataire canadien. André
Duchesne, vice-président, ajoute : « Cette année, le rendement des
obligations est négatif. Si l'indice baisse de 5 % et que l'on fait moins
4,5 %, on a fait une bonne job. Si une autre année l'indice fait 22 %
et que nous ne faisons que 20 %, on aura fait une très mauvaise job. »
N'empêche que le nouveau président, Jean-Claude Scraire, insiste sur
les profits et la protection du capital, bon an mal an.

Les portefeuilles

La Caisse gère un portefeuille de portefeuilles : les portefeuilles
classiques pour chaque catégorie d'actif (actions, obligations, immobilier, etc.), mais aussi des portefeuilles qui contiennent la même catégorie d'actif, mais qui se distinguent par leur mode ou style de gestion.
Par exemple, il existe un portefeuille tactique qui permet d'ajuster à
court terme la pondération des catégories d'actif sans acheter ou
vendre une seule obligation ou action. Tout se fait par instruments
dérivés. La gestion des risques s'appuie sur un modèle quantitatif complexe développé par la Caisse. Quatre techniciens entrent chaque jour
de 80 à 90 variables pour alimenter ce modèle.

À 22 milliards, le portefeuille obligataire est le plus lourd de tous.
Il est divisé en deux catégories : la première, qui représente 85 % de ce
portefeuille, est composée de valeurs relativement moins liquides et
comprend toutes les obligations provinciales, y compris celles du Québec et d'Hydro-Québec, ainsi que des obligations municipales. La
Caisse estime qu'elle est un joueur trop important pour pouvoir aller
et venir facilement dans ces valeurs. La majorité de ces emprunts est
conservée à long terme, ou échangée contre d'autres emprunts québécois, mais dont les caractéristiques sont différentes. La deuxième catégorie, qui représente 15 % du portefeuille, est composée de titres très
liquides comme des obligations du Canada, des États-Unis et des gouvernements européens. Les opérations y sont relativement fréquentes.
Ce portefeuille en deux parties est dit stratégique : il est calibré pour
atteindre les objectifs de rendement à long terme.

Les instruments (ou produits) dérivés

Les instruments dérivés (*derivative products*) sont des produits complexes dont la valeur est dérivée d'un ou de plusieurs instruments financiers plus simples tels que les actions, les obligations, les devises ou les indices. Les principales familles d'instruments dérivés sont les options, les contrats à terme et les *swaps*. L'option donne le droit (mais non l'obligation) d'acheter ou de vendre un produit financier à une date et à un prix convenus d'avance. Le contrat à terme (*futures*) est l'engagement d'acheter ou de vendre un produit financier à une date et à un prix convenus d'avance. Le *swap* est l'engagement d'échanger une série de flux financiers de durée différente à des prix et à des dates convenus d'avance. Certains instruments dérivés standard sont négociés en bourse ; d'autres, plus complexes ou taillés sur mesure, s'échangent au comptoir. La controverse qui entoure les instruments dérivés découle de l'effet de levier que procurent la plupart d'entre eux, effet qui accentue le caractère spéculatif de certaines positions. Mais les instruments dérivés peuvent tout aussi bien servir à réduire les risques d'un investissement. Dans tous les cas, ces instruments exigent une solide compréhension de leur fonctionnement et une gestion serrée de leurs effets cumulatifs sur un portefeuille.

Depuis janvier 1993, se superpose au portefeuille obligataire stratégique un portefeuille obligataire tactique (distinct de celui que nous venons de décrire). Son mode de gestion, plus actif, permet aux gestionnaires de prendre des positions qui correspondent à leurs points de vue sur le marché. Son directeur, Yvon Gaudreau, explique qu'il compare ses perspectives économiques avec les anticipations du marché. Si les deux concordent, il ne fait rien. Mais s'il constate une divergence, il tente de l'exploiter. On cherche à « évaluer la justesse des anticipations du marché », dit Gaudreau. Les positions plus audacieuses et à plus court terme sont prises dans des produits dérivés et s'adossent aux ressources du portefeuille stratégique. Au début de chaque année, on confie à Gaudreau un certain capital avec le mandat d'obtenir un rendement de 20 %. Les pertes ne peuvent pas dépasser ce montant, dont la taille est un secret bien gardé. Jusqu'à maintenant, il a livré la marchandise.

Exemple récent d'opération tactique, la gageure soutenue relative à l'incertitude politique et à son impact temporaire sur l'écart des taux d'intérêt entre le Canada et les États-Unis. En juin 1994, quand les investisseurs ont pris conscience de la probable élection du Parti québécois, la valeur des obligations canadiennes a baissé par rapport aux obligations américaines. L'écart de rendement s'est élargi à 215 points de base. La Caisse a saisi l'occasion et a acheté environ 650 millions $ d'obligations du Canada, jugées bon marché, et vendu autant d'obligations américaines, estimées chères. Le négociateur Denis Sénécal a vendu les *US Treasuries* à découvert tandis que son collègue Jean-Pierre Desloges s'est occupé des obligations du Canada en procédant de manière indirecte. Il a acheté un produit dérivé : le contrat à terme sur les obligations du Canada à 10 ans, appelé CGB, qui se négocie à la Bourse de Montréal. Après les élections, Sénécal et Desloges ont dénoué la transaction. Le profit a été de 20 millions $.

Les négociations avec Québec

Aujourd'hui, les gens du ministère des Finances sont venus pour discuter du programme de placement de la Caisse en obligations du gouvernement du Québec. La Caisse est leur principal bailleur de fonds. Les deux parties établissent pour l'année un montant global, réparti à peu près également en quatre trimestres. Ces montants trimestriels font l'objet d'un à cinq placements privés. Un placement privé est une transaction par laquelle un émetteur place ses valeurs auprès d'un seul investisseur. Si l'emprunt est contracté auprès d'un nombre limité d'investisseurs, on parle alors d'un placement semi-privé. Les financements de la province alternent habituellement avec ceux d'Hydro-Québec. La quantité d'obligations achetées par la Caisse dépend des besoins d'investissement établis avec les déposants ; cette quantité varie en fonction de leurs propres engagements. À court terme, les gestionnaires de la Caisse peuvent s'écarter de ces paramètres de plus ou moins 5 %. En 1994, la Caisse aura acheté 1,4 milliard $ CAN d'obligations du gouvernement du Québec, soit

60 % des emprunts en dollars canadiens ou 20 % des emprunts totaux de la province. Elle n'a pas conclu de placement privé avec Hydro-Québec, car ses besoins d'emprunts étaient faibles cette année-là.

La Caisse et le gouvernement négocient dans un cadre pré-établi. Les parties commencent par discuter de l'échéance des obligations ; il peut arriver que le gouvernement veuille emprunter pour un terme de sept ans, mais que la Caisse ait besoin d'un placement à 10 ans. « Il y a eu des chicanes épiques sur les échéances », rapporte Bastien. Ensuite, on arrête le prix, une étape généralement plus mécanique et moins controversée. Si l'obligation se négocie sur le marché, on demande le cours à plusieurs courtiers et on prend le prix moyen. Si l'obligation n'existe pas, son prix est dérivé du cours d'une obligation du Canada de même échéance.

Il arrive que la Caisse décide de son propre chef de souscrire à une émission publique, mais cette initiative alimente les supputations des opérateurs. Si la Caisse achète une bonne partie de l'émission, certains prétendront qu'elle compense une demande anémique pour les titres du Québec ; cependant, si elle ne participe pas à l'émission, ces mêmes personnes diront alors que le prix est erroné. La manœuvre est donc délicate. Dans tous les cas, ni le gouvernement ni Hydro-Québec ne versent de commission aux courtiers pour les obligations vendues à la Caisse.

Le portefeuille obligataire de la Caisse est composé de 45 % d'obligations du gouvernement du Québec et de 27 % d'obligations garanties par ce gouvernement, soit essentiellement des emprunts d'Hydro-Québec. La Caisse possède 30 % des émissions en dollars canadiens du Québec et de sa société d'électricité. Elle est donc attentive au message que révèle son comportement sur le marché secondaire des valeurs québécoises.

L'influence de la Caisse sur les Québec

Au début de l'été, Sylvain Choquette a envoyé un message important dans ce marché. Ce CFA (*Chartered Financial Analyst*) de 29 ans est teneur de marché sur les Québec. Son travail est d'acheter et de vendre environ 60 titres du gouvernement du Québec et d'Hydro-Québec. Règle générale, Choquette répond aux demandes faites par les courtiers. Mais en juin dernier, les écarts entre les obligations du Québec et du Canada se sont élargis « de manière exagérée », raconte-t-il. Le 27, quand les écarts sur les obligations à 10 ans ont atteint 108 points de base, il a pris l'initiative d'un achat de 10 millions $ CAN, puis d'un autre de 5 millions $, et laissé entendre qu'il était disposé à en prendre d'autres. Les courtiers, qui spéculaient sur une baisse de valeur des obligations québécoises, étaient à découvert. Ces achats de la Caisse leur ont donné la frousse : ils pourraient perdre si les cours repartaient à la hausse, après les interventions de la Caisse. Les courtiers ont donc rapidement acheté des obligations du Québec pour couvrir leur position, ce qui a eu pour effet de réduire les écarts d'une dizaine de points.

Cette intervention à point nommé, à la manière des banques centrales, est parvenue à renverser la tendance ; mais elle est exceptionnelle. « Sur la direction des écarts, on n'a pas d'impact, soutient Choquette. Mais on a une influence sur l'amplitude des écarts. » Bastien précise : « On n'a pas la capacité de fixer les prix. » Pas plus que la Banque du Canada ne peut contrôler le cours des obligations du gouvernement fédéral.

Le rôle habituel de Choquette est de contribuer à la liquidité des valeurs québécoises. « Je montre toujours un prix, dit-il, ce qui évite la panique » des courtiers qui seraient coincés avec de gros blocs, ou qui auraient de la difficulté à exécuter un ordre important. « Je veux faciliter les transactions, mais pas les donner. J'essaie, avec mes prix, de ne pas offrir une occasion de profit excessif aux courtiers. » Pour ne pas modifier la sensibilité du portefeuille stratégique face aux mouvements des taux d'intérêt, Choquette vend des Canada quand il achète des Québec et achète des Canada quand il vend des Québec.

Durant les périodes de plus grande fébrilité, Choquette change souvent ses prix. Si les courtiers affluent pour seulement lui vendre ou seulement lui acheter des Québec, il ralentit le flux en affichant des prix de moins en moins attrayants. « On ne veut pas se mettre devant le train », dit-il. La Caisse ne prend pas tout le volume qui se présente, précise Bastien. « On ne peut pas être le substitut du courtier. Ils sont payés par Québec pour distribuer [les obligations du] Québec. » Bastien explique qu'à titre de teneur de marché, « on est généralement à contre-courant ». Cette année, quand la nervosité politique se faisait sentir, la Caisse a profité des offres de vente qui affluaient pour acheter des Québec à bas prix. Après les élections, les prix ont remonté et en ce moment, la Caisse cherche à réduire sa position pour reconstituer ses liquidités. « Si l'émotion l'emporte, c'est habituellement profitable pour nous », déclare Bastien. La fonction de teneur de marché n'est pas neutre. Cependant, la Caisse ne spécule pas sur les Québec et ces titres n'entrent pas dans son portefeuille tactique.

Aujourd'hui, la journée est tranquille. Choquette a acheté d'un grand courtier 20 millions $ de Québec arrivant à échéance en 1999 et lui a vendu 16 millions $ de Québec échéant en 2000. Il a pris d'une boutique (nom donné aux petits courtiers) 1,5 million $ de titres échéant en 1998 et lui a cédé 1,2 million de valeurs échéant un an plus tard. Les écarts n'ont pas bougé. L'an passé, la Caisse a ainsi négocié un volume de 27 milliards en obligations du Québec et d'Hydro-Québec. Généralement, cette activité ne génère ni profit ni perte significative, mais elle ajoute à la liquidité des titres québécois. Cette gestion active les rend plus attrayants pour les investisseurs, y compris pour la Caisse, et facilite ainsi les emprunts du gouvernement ; d'autres pensent qu'elle manipule le marché, ce qui rend les titres québécois moins attractifs.

La Caisse est l'investisseur institutionnel qui traite les plus gros volumes de change au Canada : 154,2 milliards par an. Il arrive même que ses opérations fassent des ronds dans l'eau. Les placements en obligations et actions en devises étrangères du portefeuille stratégique sont entièrement couverts pour les risques de change ; ces opérations représentent environ 95 % de son volume de change. Mais dans le cadre du portefeuille tactique, la Caisse spécule sur le mouvement des devises ; lorsqu'elle a une opinion très marquée sur l'évolution des cours, elle prend une position pouvant équivaloir jusqu'à 10 % de la valeur du portefeuille de valeurs étrangères, affirme Laurent Desbois, directeur du marché des changes et du marché monétaire. En d'autres mots, la Caisse n'abaisse jamais en deçà de 90 % son ratio de couverture contre la fluctuation des devises, une pratique de gestion qui demeure très conservatrice. Tout se fait par instruments dérivés. « On fonctionne sans cash », explique Desbois, un CFA qui a la coquetterie de porter de grosses chaussettes de laine grise dans ses souliers de ville. En ce moment, on est très prudents, ajoute son adjoint Marc Tremblay, car on ne distingue pas de tendance nette du marché. Tremblay est néanmoins vendeur de dollars canadiens et acheteur de deutsche marks.

En fin d'après-midi, comme dans la plupart des salles de marché, le rythme ralentit. La majorité des transactions se conclut le matin. La tension ayant baissé, un négociateur plaisante au téléphone : « As-tu un chalet ? As-tu un *gun* ? Je recrute pour une secte de *traders*. » *La Presse* traîne sur le plancher. L'affaire du Temple solaire fait encore la une.

On prépare le prochain coup

À 16 h 30, une dizaine de personnes se réunissent dans une salle pour élaborer des tactiques de placement. Histoire de se donner un peu d'énergie, les gens prennent un caramel Marks & Spencer dans le plat déposé au centre de la table. Bastien préside en douceur, de manière informelle. Au sujet de sa rencontre plus tôt dans la journée avec les gens du ministère des Finances, il ne dit qu'une petite phrase : « On a quelques différences avec nos amis de Québec sur l'échéance. On n'en achètera pas. »

L'équipe analyse les chiffres de l'inflation et fait le point sur ce qui s'est passé pendant la journée. Ensuite, elle discute abondamment d'un projet d'arbitrage. On examine la possibilité de vendre des obligations de l'Ontario et d'acheter des obligations de la Colombie-Britannique. Les Ontario sont jugées très chères et on s'attend à ce qu'elles perdent de la valeur quand les investisseurs constateront que le déficit sera plus gros que prévu. Les Colombie-Britannique, en revanche, pourraient gagner en valeur si le gouvernement du NPD n'était pas réélu. L'équipe considère une transaction de 25 à 50 millions $, mais qui pourrait grimper jusqu'à 200 ou 300 millions $. Le scénario de rechange serait de vendre des Québec pour acheter des Colombie-Britannique, mais avec des montants plus modestes. Si la Caisse vend des Ontario, ce sera à découvert ; mais si elle vend des Québec, les valeurs proviendront du portefeuille stratégique, actuellement surchargé par les activités de teneur de marché des derniers mois.

Les participants se passent des graphiques et fouillent dans des listes d'obligations pour trouver celles qui conviendraient le mieux à l'opération. Pas facile, car les Colombie-Britannique sont rares sur le marché. Le déficit de la province a été réduit. Après une bonne discussion, Bastien décide de commencer par une tranche de 50 millions $.

En terminant la réunion, il encourage ses troupes à la prudence : « Il ne faut pas qu'on nous voie venir. Appelez pas tous en même temps ! »

* * *

Le grand brassage de l'épargne

Qu'ils soient petits intermédiaires ou gros investisseurs, tous les joueurs du marché obligataire cherchent à faire de l'argent dans un environnement incertain. Mais nous devons être conscients qu'en brassant tous ces papiers, ils gèrent l'épargne de Monsieur et Madame Tout-le-monde, dans le cadre d'un double mandat. Lorsque l'épargnant confie ses économies à la banque, à une compagnie d'assurances ou à un fonds commun de placement, lorsqu'il sacrifie une partie de son salaire pour cotiser à une caisse de retraite, il souhaite que ceux qui gèrent ce capital le préservent et le fassent fructifier.

Cette épargne entre dans une équation qui régit l'offre et la demande des capitaux et qui se vérifie grâce à un prix : le taux d'intérêt. L'offre de capitaux provient de l'épargne des ménages et des profits des entreprises. La demande englobe le crédit à la consommation, les hypothèques, les immobilisations des entreprises et les déficits gouvernementaux. Cette équation est d'autant plus complexe qu'avec la mondialisation des marchés financiers, une partie grandissante de l'épargne se déplace d'un pays à l'autre vers le demandeur disposé à offrir le meilleur prix. Pourquoi se priver de la jouissance immédiate de son capital, si on désespère de le voir grandir avec le temps ? L'épargnant loue son capital. Mais encore souhaite-t-il un locataire qui préserve sa tranquillité d'esprit. Sans qu'il le sache, une grande partie de son épargne transite par ces instruments négociables appelés bons du Trésor et obligations ; or, les gestionnaires qui achètent ces titres en son nom sont confrontés à un double risque : la fluctuation des taux d'intérêt et la qualité du crédit de l'emprunteur.

Le taux d'inflation prévu par les investisseurs est le principal paramètre qui détermine le niveau général des taux d'intérêt. Un investisseur qui craint que l'inflation déprécie la valeur du capital qui lui sera remis dans dix ans exigera un taux d'intérêt plus élevé que s'il est persuadé que les dollars qu'il prête conserveront leur pouvoir d'achat. Mais comme les prévisions sur l'inflation changent avec les conditions du cycle économique, les taux d'intérêt fluctuent. Cette volatilité des taux entraîne un risque de liquidité du capital, relié à la durée de l'obligation. Plus l'échéance est éloignée, plus le prix de l'obligation est sensible aux fluctuations des taux d'intérêt. L'argent qui est prêté par l'entremise d'une obligation à long terme ne sera pas remboursé avant échéance. Si, entre-temps, les taux d'intérêt augmentent, cet argent ne peut pas se déplacer vers une nouvelle obligation offrant un taux plus généreux. Pour se libérer du contrat, le porteur de l'obligation doit la vendre à rabais et enregistrer une perte. Les obligations à 30 ans sont donc beaucoup plus risquées que les obligations à deux ans, quel que soit l'émetteur. De plus, bien des choses peuvent survenir en 20 ou 30 ans, en particulier la dégradation du crédit de l'emprunteur.

Le risque d'insolvabilité, ou risque de défaut, dépend de la qualité de la signature de l'emprunteur. On aurait tort de penser que le risque de défaut est nul sur les obligations émises par les corps publics parce que les gouvernements des pays industrialisés ne font jamais faillite. L'appréciation du risque de défaut par les investisseurs est beaucoup plus subtile. D'une part, parce qu'un gouvernement national très endetté peut toujours recourir à la planche à billets pour financer sa dette, ce qui alimente l'inflation et nous ramène au risque précédent ; d'autre part, parce qu'entre une situation d'endettement aussi rare qu'extrême, où la dette est répudiée, et la solidité d'un gouvernement de pays riche et aux finances saines, il y a des demi-teintes auxquelles correspond une prime de risque graduée. Cette évaluation n'est pas purement objective, comme on aurait tendance à le croire. La dette est un chiffre précis, mais la capacité de taxer davantage pour financer la dette ou la vigueur de l'économie qui la supporte, est sujette à diverses interprétations. Que dire de la stabilité politique et de la capacité des gouvernements d'imposer des mesures de redressement impopulaires ?

L'équation de l'épargne au Canada révèle un déséquilibre que les capitaux étrangers doivent compenser. Sans eux, le prix de l'épargne canadienne serait beaucoup plus élevé. Voilà pourquoi nos gouvernements empruntent à l'extérieur du pays.

Découvrons, maintenant, ce qui incite les investisseurs étrangers à acheter nos obligations. Dans cette enquête, nous ramasserons les pièces du puzzle, une à la fois. Soyez patients, chers lecteurs, car le tableau prendra forme lentement et, à l'occasion, vous aurez l'impression de ne récolter que des morceaux bleu ciel ! Avec le temps, vous en découvrirez les riches nuances...

SOUS LA LOUPE
DES AGENCES DE CRÉDIT

QUÉBEC, MARDI 23 AOÛT 1994

Place d'Armes, les touristes américains sont nombreux à photographier le Château Frontenac en ce superbe après-midi d'été. L'immeuble de biais avec l'hôtel n'attire pas leurs lentilles, mais il n'en a pas moins très belle apparence avec sa pierre grise et son toit vert-de-gris. Construit en 1883 dans le style Second Empire, c'est l'ancien palais de justice ; aujourd'hui, le ministère des Finances du gouvernement du Québec. Je viens y rencontrer le sous-ministre qui, au moins une fois par année, reçoit des visiteurs américains qui n'ont rien de débonnaires : les représentants de Moody's et de Standard & Poor's, les redoutables agences de notation de crédit new-yorkaises.

Je suis très curieux de connaître le rapport qu'entretiennent ces agences avec les gouvernements. Au printemps 1993, Gérald Tremblay, alors ministre de l'Industrie, du Commerce et de la Technologie dans le gouvernement libéral de Robert Bourassa, m'a avoué : « Notre budget n'avait qu'un but : sauver la cote ; et on n'a pas réussi. » Je veux bien croire qu'il simplifiait les choses, mais comment a-t-on pu si mal lire le degré d'austérité budgétaire qu'il fallait pour préserver cette fameuse cote ? Si tel était l'objectif primordial du gouvernement ?

Le bureau d'Alain Rhéaume est immense ; de nos jours, on n'oserait plus en construire de si vaste : presque un loft ! Pas question de le subdiviser, l'immeuble est classé monument historique. Jeune quarantaine, un visage de poupon habité d'une voix très grave, Rhéaume porte sur la poche de sa chemise blanche trois petits lapins brodés. Un sous-ministre des Finances avec des lapins sur sa chemise ! Mais il doit être compétent : embauché aux Finances sous Jacques Parizeau, nommé sous-ministre en titre par Bourassa, Parizeau l'a conservé lorsque les péquistes ont repris le pouvoir.

Nous sommes assis de part et d'autre d'une grande table de travail ; l'entrevue débute : Comment se passe la relation entre agence de crédit et gouvernement ? « C'est une relation strictement professionnelle, basée sur un échange d'informations continu, explique Rhéaume. On a au minimum une revue annuelle complète de la situation financière et économique du Québec, complétée par des rencontres et des échanges particuliers quand le besoin s'en fait sentir. La revue annuelle se fait généralement peu après le budget. Les titres du gouvernement et ceux d'Hydro-Québec sont évalués en même temps, c'est-à-dire communément par les agences de *rating*, de sorte qu'il y a aussi une rencontre chaque année entre Hydro-Québec et les agences pour passer en revue ses opérations. »

« On passe généralement une journée avec chacune des agences américaines, poursuit Rhéaume. Avec les agences canadiennes CBRS et DBRS, ça prend un peu moins de temps, généralement une demi-journée. On prépare un document de base qui présente l'ensemble des données du budget et du plan de gestion de la dette, qu'on essaie de leur remettre un ou deux jours avant la rencontre », m'explique Rhéaume. Ce document est préparé à partir d'informations contenues dans le budget, mais il fournit parfois plus de détails sur les hypothèses et les facteurs de sensibilité qui mesurent l'impact d'une erreur dans les prévisions, et des réponses à certaines questions spécifiques que les agences acheminent au ministère des Finances après avoir pris connaissance du budget[1]. « Ensemble, on passe à travers le document pendant cette journée, en plus de répondre à toutes leurs questions. » Une quinzaine de fonctionnaires y participent, certains ayant une partie de l'exposé à faire, ou apportant certaines informations ou précisions. « Évidemment, le sous-ministre cherche un verre d'eau à la fin de sa journée ! », avoue l'intéressé. Parfois, le ministre des Finances — très rarement le premier ministre — explique brièvement les grandes orientations de sa politique budgétaire, économique et fiscale.

« Après ça, on tient les agences informées de l'évolution de la situation. » Chaque trimestre on leur fait parvenir des données ; au besoin, on élucidera quelques questions au cours d'une conversation téléphonique. Si Rhéaume passe à New York, il « essaie de les rencontrer une heure ou deux pour faire le point sur la situation ».

Au-delà de l'information, quel type de rapport avez-vous ? « Il y a des gens qui négocient les titres obligataires sur la base de la cote. Évidemment, les agences demeurent très indépendantes là-dedans ; elles portent leur jugement. Notre rôle c'est de les garder informées le plus parfaitement possible et de leur présenter l'approche du gouvernement du Québec dans la gestion de l'économie, des finances publiques et de la dette. Mais c'est leur jugement ! »

Après le briefing d'une journée à Québec, les analystes des agences rentrent à New York pour rédiger un rapport qui sera présenté au comité de crédit, composé de personnes de niveau élevé dans l'organisation ; c'est ce comité qui rend la décision. « Quand la note est négative, ils vous donnent un avis et chez Standard & Poor's, il y a une procédure d'appel. On a alors l'occasion d'aller rencontrer les membres du comité de crédit, ou au moins un groupe significatif, et d'argumenter que la note de crédit devrait être maintenue plutôt que diminuée. Chez Moody's, c'est pas aussi clair. Ils vous donnent un avis ; il n'y a pas de procédure d'appel formelle, mais disons qu'on peut quand même échanger avec eux et faire valoir notre point de vue. Dans le passé, on a eu du succès dans certains cas, pas dans d'autres. En 1982, on n'a pas eu de succès ; en 1993, on n'a pas eu de succès. » En 1984, cependant, le ministre des Finances, Jacques Parizeau, n'a-t-il pas réussi, à la onzième heure, à éviter un déclassement par Standard & Poor's en allant plaider sa cause à New York ? « En 1984, comme vous le mentionnez, nous avons réussi ; mais je ne peux vraiment pas donner de détails sur le contenu de ces échanges », répond Rhéaume.

En 1993, il y a eu des discussions avec Moody's, dès le 14 avril, tout de suite après le dépôt des crédits 1993-1994. Le discours sur le budget a été prononcé par Gérard D. Lévesque le 20 mai, annonçant un déficit de 4,97 milliards $ pour l'exercice qui se terminait, en regard d'une prévision de 3,79 milliards $ faite un an plus tôt ; pour l'exercice qui débutait, il projetait 4,1 milliards $. Les revues annuelles ont eu lieu le 25 mai avec Moody's et trois jours après avec Standard & Poor's. Moody's a déclassé le Québec de « Aa3 » à « A1 » le 3 juin. Standard & Poor's a avisé le ministère des Finances de son intention d'abaisser la cote du Québec de « AA- » à « A+ » le 11 juin. Le 17, Rhéaume et Gérard D. Lévesque ont défendu leur cause en appel devant le comité de notation à New York ; en vain, car la décision de procéder a été annoncée publiquement cinq jours plus tard. (Moody's rabaissera encore la cote du Québec de « A1 » à « A2 » le 15 juin 1995, après le premier budget du ministre Jean Campeau ; Standard & Poor's maintiendra la sienne.)

Comment s'établit le rapport de force lors de ces rencontres ? « Je ne pense pas que ce soit la bonne façon de définir la relation, dit Rhéaume. Ces gens émettent un avis qui est strictement non influençable, sauf par des choses objectives. À ce moment-là, celui qui est évalué n'a aucun pouvoir, excepté celui de bien faire valoir ses arguments, de bien démontrer où l'amène son plan budgétaire et financier. Ce n'est pas vraiment un rapport de force ; mais d'autre part, vous avez toute la force de votre persuasion, de votre crédibilité et de celle du gouvernement, de votre plan budgétaire et de votre plan fiscal. »

Qu'est-ce qui intéresse les agences ? Une foule de variables objectives et quantifiables touchant les finances et la capacité de l'économie à soutenir la dette : la croissance économique, les ratios d'endettement, les prévisions de déficit, le solde des opérations courantes, la marge de manœuvre fiscale, des comparaisons de dépenses avec les autres provinces, etc. Elles portent aussi un jugement sur « la crédibilité, le sérieux et la capacité de ceux qui gèrent les finances publiques, du premier ministre jusqu'au sous-ministre des Finances ».

Les agences n'ont pas de formule mathématique précise qui établisse la cote de chaque emprunteur. Pour ce qui est de la partie quantitative de l'évaluation, elles comparent les ratios financiers de plusieurs emprunteurs. Ces ratios sont connus ; les fonctionnaires peuvent les calculer et avoir une bonne idée du classement de la province. « On le fait, cet exercice-là, admet Rhéaume, mais les marges d'erreur sont très grandes. En 1993, par exemple, on pensait bien passer au travers. »

Comment se fait-il que vous vous soyez trompés ? « Quand on a fait notre budget, on avait deux préoccupations, du point de vue de la rectitude des finances publiques : premièrement, il fallait maîtriser l'évolution du déficit et de la dette le plus vite possible — et on n'avait pas besoin d'une agence de cotation pour nous le dire : c'était important de le faire pour le Québec ; deuxièmement, il fallait se présenter sur les marchés pour notre programme d'emprunt et on souhaitait maintenir la cote de crédit » ; les consultations dans les milieux financiers donnaient à penser qu'on ne pouvait vraiment pas avoir un déficit plus élevé, raconte le sous-ministre.

« On a pu constater par la suite que même si le déficit avait été plus bas de quelques centaines de millions de dollars, on aurait probablement perdu notre cote quand même, car notre niveau d'endettement devenait incompatible avec les barèmes que retiennent les agences pour le niveau de cote qu'on avait », ajoute Rhéaume.

Mais avant le budget, ne pouvait-on pas demander aux agences quel déficit serait acceptable, selon elles ? « Jamais ils ne vous donnent d'indications au préalable. Quand on a fait le budget, on l'a fait le plus responsable possible du point de vue des finances publiques, en nous disant : " Si on est très sérieux, si on y va d'une manière musclée dans la réduction du déficit et que notre plan est crédible, probablement qu'on peut sauver la cote. " Mais c'est tout ce que je pouvais dire au ministre des Finances et au premier ministre au moment où on a fini le budget. Je n'étais pas capable de donner de garanties. Personne ne pouvait le faire, d'ailleurs. On a fermé notre budget sur la base du meilleur budget possible du point de vue des finances publiques, sans aller trop loin et tout démolir. »

Mais vous saviez qu'il y avait risque de déclassement ? « On le savait depuis l'année précédente. Il y avait eu des signes très clairs de la part des agences. » Est-ce qu'elles vous avaient donné des indications précises selon lesquelles il fallait que vous fassiez telle ou telle chose pour préserver votre cote ? « Non... pas réellement. Ça faciliterait notre tâche, mais en même temps, probablement que personne ne le veut ; ni elles, ni nous. On ne veut pas que le budget soit fait par les financiers. Dans une société démocratique, le gouvernement est là pour gouverner et faire les choix appropriés pour la société. C'est ce que la population attend de lui. Vous ne voulez pas que ce soit quelqu'un d'autre qui encadre vos responsabilités. » La contrainte d'un possible déclassement était « une considération » parmi d'autres. Mais « on pensait bien pouvoir passer à travers ; on a été déçus. S'ils m'avaient dit : " Il vous manque 100 millions ", peut-être bien qu'on les aurait trouvés. Mais on n'aurait certainement pas changé le budget par des milliards de dollars, changé sa structure et son approche à cause de ça. »

Est-ce que l'incertitude politique fait partie des variables qu'examinent les agences ? Cela a changé avec le temps. La montée du nationalisme a pu les influencer au cours des années 70. « Maintenant, elles évaluent la volonté de rembourser et la capacité de rembourser. Pour ce qui est de la volonté, je pense que le Québec est, dans la tête de la plupart des gens, une société démocratique qui ne va pas répudier son papier du jour au lendemain. » Par ailleurs, il est évident qu'il vaut toujours mieux ne pas avoir d'incertitude du côté des finances et de l'économie. Mais l'incertitude politique ne se limite pas au statut du Québec dans le Canada, observe Rhéaume. Partout, l'arrivée d'un nouveau gouvernement plus à gauche ou plus à droite, majoritaire ou minoritaire, peut également créer de l'incertitude. Les agences attendent de voir les événements, les orientations de politique économique, fiscale et budgétaire qui seront prises. Elles ne sont pas portées sur la politique-fiction, pense-t-il.

Quel est l'impact d'une baisse de la cote sur les coûts d'emprunt de la province ? « C'est sûr qu'une cote de crédit inférieure a un impact. » De combien ? « C'est là toute la question. La seule mesure est de comparer notre coût d'emprunt avec celui du gouvernement du Canada. Mais les écarts sont influencés par beaucoup de choses : le niveau des taux d'intérêt, la rareté de votre papier, à quelle fréquence vous faites appel au marché pendant une période donnée, l'appétit des investisseurs étrangers pour le dollar canadien et des investisseurs pour les crédits des provinces canadiennes, dont celui du Québec en particulier, l'incertitude politique et la cote de crédit. C'est bien compliqué de distinguer l'apport de chaque facteur aux changements dans les écarts. »

De plus, il faut tenir compte du jeu des anticipations : « Quand votre cote baisse, est-ce que les investisseurs qui font des analyses de plus en plus poussées l'ont déjà anticipée ? S'ils l'ont anticipée, la baisse ne fait pas grand chose ; ça fait peut-être un an que vous payez plus cher. C'est un peu bizarre... en 1993, immédiatement après les baisses, notre coût d'emprunt a continué de reculer ! raconte Rhéaume. Est-ce que les investisseurs l'avaient totalement anticipé ? Où était-ce le fait qu'on ne s'était pas présenté sur les marchés depuis un certain temps ? Mais c'est sûr que toute chose étant égale, une cote inférieure coûte plus cher. »

Avez-vous une idée approximative de ce coût ? « C'est difficile à dire : un huitième ? un quart d'un pour cent ? » Cela dépend également du changement de cote : est-ce un glissement à l'intérieur d'une catégorie, comme de « AA » à « AA- », ou un changement de catégorie, comme de passer de « AA- » à « A+ » ?

Comment en tenez-vous compte dans vos hypothèses budgétaires ? Rhéaume explique que le ministère fait des scénarios. Il cite un exemple théorique un peu grossier pour faire comprendre la dynamique et donner un ordre de grandeur de l'impact d'un déclassement sur les finances publiques : si une baisse devait coûter 10 points de base, c'est-à-dire un dixième de 1 %, et que Québec devait la subir durant cinq ans avant de récupérer son ancienne cote, en empruntant 5 milliards $ par an (le déficit plus le renouvellement des emprunts) à une échéance moyenne de 10 ans, cela hausserait de 5 millions $ la facture d'intérêt, à chacun des dix ans de l'emprunt, soit 50 millions au total pour les emprunts d'une année. L'effet cumulatif sur les cinq ans du déclassement est plus impressionnant. Si la cinquième année on emprunte encore à 10 ans, l'impact se fera sentir durant 15 ans. « Au bout de 15 ans, cela aura coûté 250 millions pour les nouveaux emprunts de ces cinq années seulement. Si on parle de 25 points de base, les coûts additionnels atteignent 625 millions $. »

L'effet est analogue sur les finances d'Hydro-Québec, car sa cote n'est jamais plus élevée que celle de la province, qui garantit sa dette. Les mouvements de cote frappent aussi les titres émis par tous les autres emprunteurs du secteur public. Les résultats d'Hydro-Québec et les coûts d'emprunt des autres sociétés d'État, des hôpitaux et des commissions scolaires ont un effet direct sur le déficit du gouvernement. Si le gouvernement gère avec un objectif déterminé de déficit, il faudra réduire les dépenses de montants supplémentaires importants ou augmenter ses revenus d'autant pour compenser la hausse des frais de financement.

« De plus, ajoute Rhéaume, il y a l'aspect de l'approvisionnement en capitaux : vous pouvez être capable de payer vos intérêts, même s'ils vous coûtent plus cher ; mais si personne ne veut vous prêter, c'est pas commode ! » Un déclassement diminue le bassin des investisseurs qui achètent les obligations du Québec. « Une forte proportion des placements des investisseurs institutionnels va dans les crédits de grande qualité. » Des règles de capitalisation et des politiques internes régissent les proportions de leurs portefeuilles, qui peuvent être placées dans les diverses catégories de titres dont la cote est inférieure à un niveau donné. Aussi, « chaque réduction d'un cran de votre cote de crédit place vos titres dans un bassin encore plus large de titres pour lesquels l'ensemble des investisseurs ont un espace encore plus limité dans leurs portefeuilles. À la limite, s'il y a juste un banquier qui veut vous voir la face, ça va vous coûter bien plus cher, et ça n'aura plus de rapport avec votre cote de crédit ! »

★ ★ ★

Chez Standard & Poor's

NEW YORK, MERCREDI 22 MARS 1995

Au sud de Manhattan, le petit parc ovale de Bowling Green marque la naissance de Broadway et le début du district financier, symbolisé par le vigoureux taureau de bronze sculpté par Arturo di Modica. Tout près, pour rappeler aux bulls[2] qu'il faut bien jauger les risques avant de charger tête basse, le siège de la puissante Standard & Poor's, filiale du groupe de presse international McGraw-Hill.

Avec sa consœur Moody's, filiale de la société d'informations financières Dun & Bradstreet, Standard & Poor's (S&P) donne une appréciation de la solvabilité des emprunteurs depuis la crise économique de 1929, époque où d'innombrables compagnies de chemin de fer américaines faisaient faillite les unes après les autres. Il existe d'autres agences de notation de crédit ailleurs dans le monde, notamment la Dominion Bond Rating Service (DBRS), de Toronto, et la Canadian Bond Rating Service (CBRS), de Montréal. Mais ce sont des pygmées à côté des deux agences new-yorkaises. Dans cette tournée autour du monde, pas un seul un investisseur canadien ou étranger ne m'a dit considérer la cote de CBRS ou de DBRS avant de prendre une décision d'investissement. Pourtant, ces agences canadiennes font les manchettes des journaux, car bien souvent elles ont été plus rapides à déclasser les gouvernements canadiens ; mais leur influence sur les marchés financiers est marginale. Les investisseurs étrangers les connaissent peu et les Canadiens disent connaître aussi bien qu'elles les finances publiques canadiennes. Les agences de Montréal et de Toronto jouent un rôle utile en évaluant les titres des entreprises canadiennes bien que, là encore, la concurrence des maisons américaines soit de plus en plus vive.

Dans une petite salle de réunion sans fenêtre, j'attends Marie Cavanaugh, directrice au service de la finance internationale. En entrant, elle s'excuse d'être en retard : « Nous venons de déclasser le Mexique ! Le communiqué de presse sera émis dans une heure. » J'ai un petit frisson intérieur : quel beau scoop pour le journaliste d'agence que je fus ; quand je sortirai d'ici, il sera trop tard ! Cavanaugh siège au comité de crédit des pays souverains, qui a déclassé les obligations en devises étrangères du Mexique, de « BB+ » à « BB »[3] ; elle est l'analyste chargée du Canada, de plusieurs pays scandinaves et de la Turquie. Deux analystes du nouveau bureau torontois de S&P sont les principaux responsables des provinces et des municipalités (des entités dites quasi souveraines) et Cavanaugh travaille avec eux ; à ses débuts, en 1984, elle couvrait les provinces. Elle possède une maîtrise en analyse des politiques publiques de la Kennedy School of Government. Et pour être honnête, j'avoue qu'elle est très gentille ; elle n'a pas l'air d'un ogre qui mange des enfants dans ses céréales.

Elle m'explique que « les cotes existent pour donner de l'information sur la qualité du crédit à la communauté des investisseurs ». Les agences ne mesurent pas les risques de marché qui font augmenter ou baisser la valeur d'un placement, comme par exemple le risque de change ; elles se limitent au risque de défaut : « La volonté et la capacité de servir la dette ponctuellement et en accord avec les termes de l'émission. » Pour émettre des obligations aux États-Unis, la signature doit nécessairement être classée par l'une des grandes maisons ; il n'y a pas d'exigence formelle sur les marchés internationaux, bien qu'en pratique tous les grands emprunteurs publics, soit près de cinquante pays, soient notés par S&P. Les cotes facilitent les décisions de placement en permettant de comparer rapidement le rapport entre le risque et le rendement d'un large éventail d'émetteurs.

Le système des cotes

L'échelle de notation du crédit est découpée en deux grandes classes : investissement et spéculation. La classe investissement se subdivise en quatre sous-catégories : « AAA », « AA », « A » et « BBB ». La classe spéculation comprend les « BB », « B », « CCC », « CC » et « C ». La note « D » est décernée aux émetteurs en défaut de paiement. L'expression *investment grade* (classe investissement) a une signification précise dans la réglementation américaine : les banques, les compagnies d'assurances et les fiducies sont assujetties à des contraintes plus sévères lorsqu'elles investissent dans des obligations qui ne sont pas de cette classe. À l'extérieur des États-Unis, les investisseurs institutionnels se montrent habituellement plus exigeants et considèrent rarement des obligations inférieures à « A ». La classe des obligations spéculatives comprend les « anges déchus », mais aussi des titres qui ont été émis tels quels, soit les fameux *junk bonds* (ou *high yield bonds*) qui ont financé les grandes OPA (offre publique d'achat) hostiles des années 80. Le marché pour ces obligations pourries ou de pacotille est considérable aux États-Unis, mais peu profond au Canada.

« Tout ce qui est « BBB- » et au-dessus est considéré de classe investissement, ce qui veut dire que nous sommes d'avis que la dette sera servie ponctuellement, explique Cavanaugh. L'écart entre « BBB » et « AAA » définit la grosseur du coussin qu'a l'investisseur. » Les cotes sont parfois accompagnées des signes « + » ou « - » pour préciser la place relative d'un émetteur à l'intérieur d'une sous-catégorie. Moody's utilise plutôt les chiffres 1, 2 ou 3 pour marquer cette différence. Ce sont des « nuances », explique Cavanaugh. S&P (mais non Moody's) qualifie également ses cotes d'une perspective qui est soit positive, stable ou négative ; elle indique ainsi la direction que peut prendre la cote au cours des prochaines années si certaines tendances observées se révèlent justes. Par exemple, S&P n'a pas modifié la cote de « AA+ » décernée aux obligations en devises du gouvernement fédéral après le budget de Paul Martin, en février 1995 ; elle a cependant changé sa perspective de stable à négative.

Les cotes des agences de notation de crédit

Standard & Poor's	Moody's	Définition des notations appliquées aux titres à long terme
AAA	**Aaa**	Débiteur d'excellente qualité, risques minimes pour l'investisseur ; capacité de rembourser extrêmement forte.
AA	**Aa**	Débiteur de qualité élevée ; emprunt bien protégé sur une longue période, capacité de rembourser très forte.
A	**A**	Classe moyenne supérieure ; nombreux aspects positifs, mais également des risques à long terme ; forte capacité de rembourser le principal, mais plus vulnérable aux circonstances défavorables.
BBB	**Baa**	Classe moyenne ; de bonnes chances pour que la dette soit remboursée à temps, mais la protection à long terme est incertaine.
BB **B**	**Ba** **B**	Placement à risques de qualité décroissante ; le versement des intérêts et le placement sont assurés dans une faible mesure.
CCC **CC** **C**	**Caa** **Ca** **C**	La probabilité que le service de la dette soit assuré intégralement et dans les délais est très faible. Chez Moody's, éventuellement une échéance d'intérêt en retard.
D	—	Déjà au moins une échéance d'intérêt de retard.

« Nous avons une politique de plafond de l'État souverain : aucune entité dans un pays, sauf à de rares exceptions, ne peut avoir une cote supérieure à l'État souverain. Cela s'explique par les pouvoirs extraordinaires qu'a l'État souverain sur les transactions de change et la taxation », dit Cavanaugh. Moody's observe la même règle ; lorsqu'elle a déclassé les obligations en devises du gouvernement fédéral de « Aa1 » à « Aa2 », le 12 avril 1995, la Colombie-Britannique et une dizaine de municipalités cotées « Aa1 » ont glissé avec Ottawa ; les émetteurs moins bien notés n'ont cependant pas bougé.

Normalement, la dette libellée dans la monnaie nationale est mieux notée que les emprunts en devises étrangères, car l'État souverain peut toujours taxer ou imprimer la monnaie du pays pour rembourser ses créanciers. Ainsi, S&P décerne la cote « AAA » aux titres du Canada en dollars canadiens et « AA+ » à ses obligations en devises ; Moody's leur attribue respectivement « Aa1 » et « Aa2 ». Les provinces ont habituellement une même cote pour tous leurs emprunts. On a observé que les cas de défaut sur les obligations en monnaie nationale sont exceptionnels : depuis 1970, S&P n'a recensé que cinq pays (l'Argentine, le Brésil, la Birmanie, la Russie et le Vietnam) qui ont fait défaut sur leurs titres en monnaie locale, mais trente et un pays qui n'ont pas respecté tous leurs engagements en devises étrangères[4]. Les défauts de paiement sur la dette en devises devancent de quelques années ceux observés sur les obligations en monnaie nationale. Ils sont plus fréquents car le service de la dette est alors garanti par les réserves de change que les déficits récurrents à la balance des paiements courants peuvent épuiser dans un régime de change fixe.

Enfin, les agences placent parfois un émetteur sous surveillance (*credit watch*) lorsqu'elles anticipent des événements importants et que l'information permettant de les évaluer n'est pas encore disponible. Cela se produit lorsque des entreprises annoncent des fusions et des acquisitions dont les conditions ne sont pas connues, ou « si un nouveau gouvernement arrive au pouvoir et dit : " Nous allons faire les choses de manière radicalement différente et nous les annoncerons dans notre budget dans deux mois et demi. " » Les cotes ne sont pas placées sous surveillance à la veille d'un budget normal, mais révisées peu après.

Pour établir la cote, explique Cavanaugh, « nous examinons un large éventail de facteurs économiques, financiers et politiques. Pour les États souverains, il y a deux grandes catégories de risques : les risques politiques, qui renvoient à la volonté de rembourser, et les risques économiques, qui portent sur la capacité de rembourser. » Selon elle, « la volonté n'est pas un problème pour la plupart des pays. Dans leur cas, l'évaluation politique focalise surtout sur les politiques des principaux partis, sur les pressions pour changer ou ne pas changer les choses, comme dans le débat sur l'étendue du filet de sécurité sociale ; on cherche à évaluer la marge de manœuvre du gouvernement. » Le poids de la dimension politique dans l'évaluation globale varie d'un pays à l'autre ; il est plus lourd pour la Corée que pour le Canada, cite-t-elle en exemple.

« Du côté économique, nous essayons de constituer un bilan extérieur du pays. » L'analyste examine les engagements pris envers les étrangers, peu importe la devise dans laquelle ils sont libellés. Lorsqu'une obligation en dollars canadiens est remboursée, l'investisseur étranger peut réinvestir l'argent au Canada ou l'échanger pour une autre devise et placer son argent ailleurs. La dette détenue par les étrangers représente un retrait réel ou potentiel sur les réserves internationales du pays. « L'endettement extérieur du Canada a grossi substantiellement au cours des récentes années ; c'est l'une des raisons clés pour lesquelles nous avons abaissé notre cote en 1992 », affirme Cavanaugh.

La plupart des variables qui entrent dans l'évaluation sont mesurées à l'aide d'indicateurs statistiques et de ratios financiers tels que la croissance du produit intérieur brut, le taux de chômage, le rapport entre les paiements d'intérêt et les revenus budgétaires ou la dette extérieure nette en regard des exportations. Il est cependant intéressant de noter que dans cette pléthore de données, la dette *per capita* brille par son absence. Utilisé abondamment dans les discours des chambres de commerce, ce chiffre ne manque jamais d'impressionner la galerie, mais il n'est pas jugé pertinent par les agences.

« Notre notation porte sur le long terme avec une perspective de huit à dix ans. Nous essayons de voir loin, au-delà du cycle économique ; augmenter la cote pendant la reprise et la baisser pendant la récession ne rend service à personne, argumente Cavanaugh. Nous essayons de refléter les changements dans les conditions structurelles. » Les pays sont comparés entre eux et les provinces entre elles et avec les lands allemands, les États australiens et américains, avec les ajustements particuliers qui s'imposent.

S&P tient compte de la situation budgétaire des provinces dans son évaluation du crédit du Canada. « Nous examinons l'ensemble du pays, pas juste le gouvernement du Canada. » La maison regarde également les deux côtés du bilan : le passif et l'actif. Elle analyse les immobilisations réalisées par les gouvernements et distingue les pays qui s'endettent parce qu'ils investissent, de ceux qui empruntent pour

Les critères examinés par S&P
pour noter les États souverains

Les risques économiques

Le système et la structure économique
- Économie de marché ou non
- Dotation en ressources et degré de diversification
- Taille et composition de l'épargne et des investissements
- Taux et configuration de la croissance économique

La politique budgétaire et la dette publique
- Équilibre des finances du secteur public
- Dette publique et fardeau des intérêts
- Contingences du passif, incluant les banques
- Historique du service de la dette

Politique monétaire et inflation
- Tendance des prix
- Taux de croissance du crédit et de la masse monétaire
- Politique de change
- Degré d'autonomie de la banque centrale

Souplesse de la balance des paiements
- Impact des politiques budgétaire et monétaire sur les comptes extérieurs
- Besoins et composition des flux de capitaux

Position financière externe
- Taille et composition en devises de la dette extérieure privée et publique
- Structure des échéances et fardeau du service de la dette
- Niveau et composition des réserves et autres éléments d'actif

Les risques politiques

Système politique
- Forme de gouvernement et capacité d'adaptation des institutions
- Degré de participation populaire
- Caractère ordonné de la succession du leadership
- Degré de consensus sur les objectifs de politique économique

Environnement social
- Niveau de vie, revenu et distribution de la richesse
- Conditions du marché du travail
- Caractéristiques culturelles et démographiques

Relations internationales
- Intégration dans le système commercial et financier international
- Risque de sécurité

accroître leur consommation. Au moment de l'analyse des budgets, Cavanaugh vérifie si les prévisions de dépenses et de revenus sont raisonnables et elle pose aux fonctionnaires des questions du type : qu'arrivera-t-il si...? « C'est notre travail d'examiner les choses sous l'angle du pire qui puisse arriver. «On considère les résultats et les engagements budgétaires dans le contexte de ce qu'il est réaliste d'accomplir. Cavanaugh est bien consciente que «plus vous coupez, plus ça devient difficile » de progresser dans la réduction des dépenses.

La démarche

Normalement, l'évaluation du crédit est faite à la demande de l'émetteur et celui-ci s'engage à collaborer à l'exercice. Il doit également payer des frais équivalant à trois points de basc sur l'ensemble des obligations notées ; les émetteurs réguliers peuvent s'en acquitter par le versement d'un montant forfaitaire annuel. Bref, ici c'est la strip-teaseuse qui paie ! Cavanaugh refuse de préciser les montants déboursés par les gouvernements, mais elle mentionne que les obligations en dollars canadiens du gouvernement fédéral n'entrent pas dans ce calcul. Ces frais constituent la principale source de revenus des agences. La notation des emprunteurs est mise simultanément à la disposition des médias et des investisseurs dans plusieurs publications.

Une équipe de deux ou trois analystes se rend chez un émetteur pour passer en revue son dossier ; son rapport est ensuite étudié par le comité de notation où la discussion est «très universitaire », rapporte Cavanaugh. «Vous n'avez rien à vendre, vous présentez une analyse que d'autres personnes examinent soigneusement en y apportant leur propre expertise sur d'autres pays. » Lorsqu'il y a abaissement d'une cote, l'émetteur peut en appeler de la décision. Les déclassements sont peu fréquents et les cas où la décision est renversée, rares. «Plus souvent qu'autrement, la première décision est finale. » Mais il y a des exceptions, explique Cavanaugh : «La différence entre un " AA " et un " AA- " est affaire d'opinion. Le premier comité était peut-être divisé, mais pas par plus d'un cran ; l'examen est très structuré. De nouvelles informations peuvent cependant amener les gens à regarder les choses de manière légèrement différente et le résultat différer d'un cran. » Toutefois, soutenir qu'un déclassement entraînerait des frais d'intérêt plus élevés et qu'il aggraverait la situation n'est pas un argument recevable.

LES COTES DES SIGNATURES PUBLIQUES CANADIENNES

au 1er janvier 1996

Emprunteur	Standard & Poor's	Moody's
Gouvernement du Canada	AAA stable ($ CAN) AA+ négatif (devises)	Aa1 ($ CAN) Aa2 (devises)
Colombie-Britannique*	AA+ stable ($ CAN) AA+ négatif (devises)	Aa1 ($ CAN) Aa2 (devises)
Alberta	AA- stable	Aa2
Saskatchewan	BBB+ positif	A3
Manitoba	A+ stable	A1
Ontario	AA- stable	Aa3
Québec	A+ stable	A2
Nouveau-Brunswick	AA- stable	A1
Nouvelle-Écosse	A- négatif	A3
Île-du-Prince-Édouard	pas cotée	A3
Terre-Neuve	BBB+ stable	Baa1

* La Colombie-Britannique est la seule province avec des cotes différentes pour ses emprunts en dollars canadiens et en devises, car elle est la seule dont le crédit est contraint par la politique de plafond de l'État souverain.

Le rapport avec les gouvernements

Au printemps 1993, comment le gouvernement du Québec a-t-il pu se tromper quand il a préparé un budget qui avait pour but de préserver sa cote de crédit ? « Je crois qu'il y a eu un dérapage inattendu dans le déficit », se rappelle Cavanaugh. De fait, Québec avait raté sa cible par 1,2 milliard $ au cours de l'exercice qui se terminait. À l'époque, S&P avait justifié sa décision dans un communiqué : « La révision à la baisse reflète l'augmentation considérable du fardeau de la dette supportée par les taxes, la probabilité qu'il y ait d'autres augmentations, quoique modestes, d'ici à ce que la reprise économique soit bien engagée, et les pressions budgétaires continues qui entravent la réduction plus rapide du déficit. » On mentionnait également que la dette soutenue par les taxes (excluant les obligations d'Hydro-Québec garanties par le gouvernement et l'avoir propre de celui-ci dans l'entreprise) atteignait 52 % du PIB en 1993, contre 42 % en 1990. Le déficit était passé de 7 à 16 % des revenus au cours de la période.

Est-ce que le Québec aurait pu conserver sa cote en coupant un peu plus dans ses dépenses ? « Ce n'est pas seulement une question de couper 100 millions $. Nous ne travaillons pas de cette façon ; nous adoptons une perspective à long terme, nous examinons les tendances lourdes. » Selon Cavanaugh, « le Québec a une dette très lourde et il continue d'avoir des déficits plutôt élevés ». L'analyste reconnaît cependant que les décisions des agences laissent parfois perplexes. « L'incompréhension la plus fréquente est quand les gens voient leur déficit baisser et qu'ils disent : "Notre cote devrait être augmentée ! " Nous leur disons alors : "Non, cela fait partie de la reprise. C'est ce à quoi nous nous attendons." C'est souvent très difficile de voir au-delà du cycle. »

Sclon elle, « la notion même de présenter un budget pour les agences de notation est probablement mal avisée. Les gouvernements sont élus pour servir la population du Québec et nous pensons que cela devrait être leur première priorité. Notre travail n'est en aucune façon d'influencer les politiques, mais d'analyser leur performance et leur pertinence, compte tenu de certains facteurs. » Est-ce que les gouvernements sollicitent votre avis lorsqu'ils préparent leur budget ? « On ne s'engage dans aucune discussion de ce genre, peu importe l'émetteur, répond-elle sans équivoque. Ce n'est pas notre rôle. Ce n'est nullement approprié. Nous ne pouvons pas être à la fois des analystes et des conseillers. »

Obtenez-vous des informations privilégiées avant le dépôt des budgets ? « Non », répond-elle. Mais les agences scrutent comme tous les observateurs avertis les signaux qu'envoient les gouvernements, comme ce fut le cas avant le budget fédéral de février 1995. « Jc ne caractériserais pas le budget comme une énorme surprise, pour nous ou pour quiconque ; en fait, les grandes lignes avaient été annoncées l'année précédente. Mais nous ne savions pas ce qui serait présenté dans le budget. » Cavanaugh constate que sur ce point les traditions canadiennes sont plus strictes que dans bien d'autres pays, en revanche, elle admet qu'à l'occasion « vous pouvez avoir de l'information que vous ne pouvez pas rendre publique et qui peut être importante dans la décision d'attribuer une cote ».

L'indépendance du Québec

Que feriez-vous si le Québec votait pour l'indépendance au référendum ? « Notre position a été et continue d'être que nous serions surtout préoccupés par la période de transition. Il y a des pays plus petits et moins bien diversifiés que le Québec, et il n'y a aucune raison de croire qu'en bout de piste, ça ne serait pas acceptable. La difficulté est que les deux ordres de gouvernement ont des déficits substantiels, même s'ils sont en décroissance, et que nous considérons très important de poursuivre ces progrès afin de renforcer le potentiel économique. »

Dans l'éventualité d'un OUI au référendum d'octobre 1995, « ça prendrait beaucoup de temps, peut-être quelques années », pour régler tous les aspects de la relation économique avec le reste du Canada : l'usage du dollar canadien, le commerce, la fiscalité, le partage de la dette, etc. « Nous ne nous attendons pas à des changements soudains ou brutaux ; ce serait négocié très soigneusement », car c'est dans l'intérêt de toutes les parties. « Notre préoccupation au sujet de la période de transition est que les investisseurs pourraient être réticents à investir, non pas en raison des facteurs fondamentaux, mais parce qu'ils n'aiment pas l'incertitude. » La nervosité des marchés compliquerait les affaires. « C'est déjà très difficile de réduire votre déficit quand tout va bien. Il peut y avoir un risque que [les efforts de la transition] détournent l'attention des problèmes budgétaires. Nous voyons ça comme un risque. » Selon S&P, « ces problèmes sont potentiellement néfastes pour les deux camps, bien qu'encore plus pour le Québec. Est-ce un facteur très négatif ? C'est un peu difficile à évaluer », dit Cavanaugh, en réponse à sa propre question.

Les Québécois, comme les Ontariens, financent déjà la dette du Canada. « Ce n'est pas comme s'il y avait quelque chose de nouveau ; c'est une question de définir comment le fardeau est divisé. » Il est peu probable que S&P révise à la baisse la cote du Québec dès le lendemain d'un OUI au référendum, mais le crédit pourrait être placé sous surveillance. « On ne parle pas ici de crédit qui sombrerait dans un précipice, mais la cote pourrait changer dépendant de ce qui se passerait pendant la période de transition. » Cavanaugh pense qu'il y a « un éventail de choses qui sont possibles », mais elle ne croit pas aux bouleversements dramatiques. « La gestion financière est très bonne au

Québec. » Compte tenu de l'expérience récente du Mexique, ne croyez-vous pas que la réaction des marchés pourrait entraîner un déclassement ? « Je ne pense pas, répond-elle, ne serait-ce que parce que cette question est discutée depuis si longtemps. » Elle admet toutefois qu'elle serait la première surprise si le OUI l'emportait. La crise mexicaine n'est pas un exemple probant, car les risques ne sont pas semblables. « Le Mexique n'était pas de classe investissement », rappelle l'analyste.

En allant chez Standard & Poor's, je m'attendais à entendre de sévères critiques sur les politiques des gouvernements fédéral et provinciaux. Or, le jugement de Cavanaugh est nuancé : « Cela a été une période difficile pour le Canada. Nous voyons de façon favorable le fait que plusieurs de ces gouvernements aient pris des actions énergiques pour réduire leurs dépenses. La difficulté est d'évaluer ce qui surviendra au moment du prochain ralentissement économique : est-ce que les progrès seront maintenus ? C'est une question épineuse. »

★ ★ ★

Noter les agences de notation

Vendredi 24 mars 1995

Salomon Brothers n'est pas le nom le plus prestigieux de Wall Street et la maison a connu plus que sa part de difficultés au cours des dernières années, mais elle demeure réputée pour la force de ses opérations sur le marché obligataire et son appétit pour les risques. Peter Plaut est vice-président et membre d'une équipe de quinze analystes du crédit des pays souverains. Il consacre les trois quarts de son temps à suivre le Canada. Son mandat est de remettre systématiquement en question le travail accompli par Marie Cavanaugh.

« Nous essayons de faire une analyse comparative du crédit des pays souverains, explique Plaut. Est-ce que les cotes de crédit sont appropriées ? Pouvons-nous voir un peu plus loin que les agences de notation en ce qui concerne les réalités politiques, économiques et budgétaires ? Si la notation n'est pas adéquate, quelle cote donnerions-nous ? Si la cote est juste, y a-t-il quand même des valeurs à saisir dans le marché ? » Alors que les agences n'oseraient jamais l'ombre d'une recommandation d'achat ou de vente, Plaut est payé pour conseiller les clients de Salomon, dans l'espoir que les transactions suggérées soient négociées avec le courtier. Son horizon est plus lointain et plus vaste que celui des économistes qui travaillent chez Salomon : ceux-ci prévoient la conjoncture économique de la prochaine année ; Plaut essaie de déterminer la qualité d'un crédit dans cinq ou dix ans, par l'examen d'un grand nombre de facteurs. Un exercice périlleux, mais le jeune Plaut ne manque pas d'assurance.

Comme tout le monde, en ce moment, il attend la décision de Moody's qui, deux semaines avant le budget de février 1995, a annoncé qu'elle réviserait la cote du Canada en vue d'une possible baisse[5]. « Est-ce que le Canada va perdre sa précieuse cote " AAA " sur la dette en monnaie nationale ? Je pense qu'il y a une probabilité de 80 à 90 % que, dans les prochaines semaines, vous alliez voir Moody's baisser d'un cran les cotes sur la dette en dollars canadiens et en devises. » Plaut pousse sa prévision : il attribue une probabilité de 60 % à ce que Moody's fasse de même avec la cote du Québec ; cette probabilité n'est que de 40 % dans le cas de S&P.

Dans le *Globe & Mail* de ce matin, s'offusque Plaut, on explique la faiblesse du dollar et du marché obligataire canadiens par le jugement attendu de Moody's. « Alors quoi ? C'est probablement déjà inscrit en grande partie dans les prix ! Et le pays demeurera très bien coté ! » Ce qui le surprend, avoue-t-il, n'est pas le déclassement, mais le moment choisi par Moody's. Si l'agence avait vraiment vu loin, elle aurait agi un an plus tôt, car depuis le second budget Martin, les choses se sont améliorées. « Maintenant, le marché doute de la capacité des agences de voir loin en avant. » Selon lui, « Moody's et S&P sont toutes deux très solides » et très semblables dans leur approche. Moody's a cependant un horizon un peu plus éloigné et dans le doute, S&P a tendance à accorder une chance à l'emprunteur, mais d'accoler à sa cote une perspective négative.

Plaut est sûr que Moody's aime le récent budget de Paul Martin, mais, dit-il, l'agence « l'a rangé dans son tiroir ». Ce qui la préoccupe, c'est que le déficit sera encore de 24 milliards $ dans trois ans et que le Québec et l'Ontario, qui ensemble représentent les deux tiers de l'économie canadienne, baignent toujours dans l'encre rouge. L'échéance moyenne de la dette du gouvernement fédéral est courte, ce qui le rend vulnérable aux augmentations de taux d'intérêt. Enfin, observe Plaut, les finances publiques canadiennes sont plus sensibles aux variations du cycle économique que dans tous les autres pays de l'OCDE. Selon lui, voir loin, c'est penser à la prochaine récession : « Ce qui est le plus important, c'est que M. Martin atteigne ses cibles pendant le prochain ralentissement. C'est ça le vrai test ! »

Plaut pense que la crise du peso a incité les investisseurs institutionnels à mieux faire leur devoir d'analyse des crédits et à ne plus se fier aveuglément aux cotes de Moody's et S&P. Bien sûr, le Canada et le Mexique ne sont vraiment pas comparables, mais la leçon a porté. On le voit par la réaction des marchés aux tentatives de la Banque du Canada de relâcher les taux. Chaque fois, le marché a dit : « Non ! Non ! Non ! Vous devez nous donner une prime de risque pour que nous prenions votre dette ! »

De plus en plus, les investisseurs comparent les pays entre eux. Moody's accorde une cote de « A1 » à l'Italie et, pour quelques jours encore, de « Aaa » au Canada. Pourtant, tous deux sont rongés par l'incertitude politique ; la dette atteint 123 % du PIB italien et près de 100 % du PIB canadien ; le déficit du secteur public est de 9 % en Italie et de 7 % au Canada. En revanche, l'Italie finance seulement 10 % de sa dette à l'étranger, proportion qui atteint 40 % au Canada ; ce dernier affiche un déficit de ses paiements courants, l'Italie, un excédent ; enfin, les échéances de la dette italienne sont mieux réparties qu'au Canada. Compte tenu de tout cela, est-ce que le Canada mérite une cote nettement plus élevée que l'Italie ? demande Plaut.

Ces jours-ci, l'analyste de Salomon visite les plus grands investisseurs institutionnels des États-Unis. Personne ne lui pose de question sur le référendum québécois, mais ils veulent tout savoir sur la situation financière de la province. « Ils s'attendent à voir dès maintenant une discipline budgétaire au Québec et en Ontario. Ils la veulent dans tous les pays. » Selon Plaut, « votre dette doit emprunter un parcours plus durable ». Malgré cela, il se déclare « prudemment optimiste : les cotes de crédit du Canada vont demeurer stables au cours des deux à cinq prochaines années » ; après le déclassement imminent de Moody's, naturellement...

★ ★ ★

Minimiser les risques

Les commentaires de Marie Cavanaugh sont sages et raisonnables comme ceux d'une bonne maîtresse d'école. Cependant, il ne faudrait pas croire pour autant qu'elle soit généreuse quand vient le temps de noter la copie de ses élèves. De surcroît, Wall Street fourmille de Peter Plaut, plus jeunes et plus agressifs, qui ne la trouvent pas assez sévère.

Les opérateurs ne manquent jamais de souligner les erreurs de notation commises par les agences. Au sujet de la débâcle mexicaine, *The Economist* juge que « Standard & Poor's s'est fait prendre les culottes à terre[6] ». Les investisseurs doutent des cotes et essaient d'en prévoir les changements. Ils savent que les notes faibles sont plus éphémères que les notes élevées ; qu'un déclassement est plus susceptible d'être suivi d'un autre que d'une majoration. Chat échaudé craint l'eau froide.

À la marge, il y a une part de subjectivité dans l'attribution des cotes et il ne faut pas dramatiser les « + », les « - » ou les « 1 », « 2 » et « 3 » qui les qualifient. Ce sont les tendances lourdes qui comptent : le poids de la dette plus que le déficit d'une année. Il est vrai qu'à un moment donné la coupe est pleine et qu'un petit déficit supplémentaire fait glisser une signature vers une classe inférieure. Et malgré la procédure d'appel, il n'y a pas grand-chose qu'un gouvernement puisse faire à la dernière minute pour éviter le déclassement.

La cote sert à mesurer, à classer et à délimiter les risques de crédit pris par les investisseurs. En règle générale, les gouvernements moins bien cotés paient plus cher pour emprunter que les gouvernements bien notés. Plus critique encore, chaque révision à la baisse rétrécit le nombre d'investisseurs susceptibles d'acheter leurs obligations, et diminue l'appétit de ceux qui sont encore prêts à y investir. Malgré les apparences d'une échelle finement graduée, il y a des barreaux plus espacés que d'autres, et surtout plus solides que d'autres, dans la notation des agences de crédit. Mais le meilleur argument demeure celui invoqué par Rhéaume et Cavanaugh : les gouvernements doivent assainir leurs finances parce qu'ils ont des responsabilités envers leurs citoyens.

Notes

Chapitre 1

1. Ces estimations sont tirées d'une enquête internationale coordonnée par la Banque des règlements internationaux, en avril 1995. La plupart des transactions de change sont convenues aujourd'hui pour des dates à venir : le marché à terme *(forward)* représente 8 % des transactions et le marché des swaps, 53 %.
2. Ces règles feront en sorte que le taux à un jour restera à l'intérieur de la fourchette d'opération. Une banque ne voudra pas emprunter des fonds à un jour à un taux supérieur au haut de la fourchette, car elle sait que la Banque du Canada lui avancera les fonds jusqu'à cette limite supérieure, c'est-à-dire au taux d'escompte. Une banque ne prêtera pas sous la fourchette, car elle sait que la Banque du Canada lui offrira davantage pour ses liquidités.
3. « Les opérations de la Banque du Canada sur les marchés financiers », allocution prononcée par Tim E. Noël, sous-gouverneur, Banque du Canda, devant la Toronto Association for Business and Economics et le Treasury Management Association of Toronto, 25 octobre 1995.
4. Coggan, Phillip, « A market impossible to tame » dans *The Financial Times*, 11-12 février 1995, p. XVI.
5. Les prises en pension ont été largement employées après le krach boursier de 1987 pour injecter des liquidités temporaires et faire rapidement baisser les taux d'intérêt. Après quelques semaines, lorsque les dommages apparurent moins graves qu'on le craignait, la Banque a renversé l'opération.
6. Une baisse du dollar augmente toutefois le prix des produits importés, ce qui alimente l'inflation. L'effet sur les prix est plus rapide que l'effet sur le volume des exportations. Mais en 1994, ce danger est plutôt lointain.
7. Les pays en développement, qui se sont lourdement endettés à la fin des années 70, avaient contracté des emprunts en dollars américains. Leur banque centrale ne pouvait pas imprimer des dollars US, un privilège réservé au Conseil de la Réserve fédérale.
8. *The Globe and Mail*, 13 octobre 1994, p. B1.

Chapitre 8

1. On trouve également une grande quantité d'informations intéressantes dans les prospectus qui accompagnent les émissions d'obligations du gouvernement du Québec et d'Hydro-Québec aux États-Unis.
2. Dans le folklore boursier, le *bull* (taureau) symbolise l'optimiste qui croit que le marché montera et le *bear* (ours), le pessimiste qui pense que le marché baissera.
3. S&P avait placé la cote en devises étrangères du Mexique sous surveillance avec présomption négative, le 22 décembre 1994.
4. Des trente et un pays qui ont fait défaut sur leurs emprunts en devises, S&P compte les trente cas où il y a eu rééchelonnement de la dette bancaire même si, légalement, les banques y ont consenti librement.
5. Les analystes de Moody's n'ont pas voulu être interviewés durant mon voyage à New York en raison de la révision en cours des cotes canadiennes.
6. La citation précise est : « Standard & Poor's had egg all over its face », *The Economist*, 15 juillet 1995, p. 54.

Glossaire*

A

acceptation bancaire (*banker's acceptance*)
Titre d'emprunt à court terme émis par une entreprise, dont le remboursement est garanti par une banque.

apparier (*matching of maturities*)
Action, pour une banque ou une compagnie d'assurances, de coupler chaque élément du passif à un élément de l'actif ayant la même échéance, pour que le coût des fonds soit toujours inférieur au rendement sur les placements et que les liquidités soient suffisantes lorsqu'il faudra respecter les engagements du passif.
Note : un mauvais appariement peut entraîner la faillite d'une banque.

actif (*assets*)
Terme général désignant l'ensemble des biens, droits et valeurs d'un particulier ou d'une entreprise.

action (*share*)
Titre de propriété négociable qui représente un droit de participation au capital d'une société.
Note : le terme anglais *stock* désigne l'ensemble des actions du capital d'une société.

analyse technique (*technical analysis*)
Méthode d'analyse du marché fondée sur l'étude des fluctuations des cours et du volume des opérations à partir de graphiques et de tableaux.
Note : familièrement, on nomme *tekkie* l'adepte de l'analyse technique.

arbitrage (*arbitrage*)
Achat et vente simultanés de titres dans le but de tirer profit d'une anomalie observée dans les cours entre deux marchés, deux produits ou deux échéances.
Note : normalement, le risque d'un arbitrage est limité ou nul.

---

* Certains mots du glossaire peuvent parfois être employés dans d'autres sens que ceux qui sont donnés ici. Les définitions ont été simplifiées et adaptées à l'usage qui en est fait dans ce livre. Pour des définitions plus riches et plus précises, on consultera l'excellent ouvrage de Louis Ménard, *Dictionnaire de la comptabilité et de la gestion financière*, Montréal, Institut canadien des comptables agréés, 1994, 994 p.

arbitragiste (*arbitrageur*)
Professionnel qui achète et vend de manière simultanée des valeurs mobilières dans le but de tirer profit de la différence de cours entre divers marchés ou valeurs.

au comptoir
Voir **hors cote.**

B

baissier (*bear*)
– Se dit d'un marché dont les prix baissent.
– Personne qui est pessimiste au sujet de l'évolution du marché et qui spécule sur la baisse des valeurs.

banque d'affaires (*merchant bank*)
Institution financière européenne qui pilote des émissions de valeurs, conseille les entreprises, gère des portefeuilles et investit son propre capital dans des entreprises commerciales.

billet à moyen terme (*MTN-Medium Term Note*)
Instrument d'emprunt à moyen terme aux caractéristiques variées, émis en volume restreint, pour répondre aux besoins spécifiques d'un petit groupe d'investisseurs.

bon du Trésor (*treasury bill*)
Titre d'emprunt à court terme émis par l'État.
Note : le bon du Trésor est vendu à un prix inférieur à sa valeur nominale et l'écart entre les deux tient lieu d'intérêt.

Bund
Obligation du gouvernement allemand.

C

cambiste (*currency trader*)
Professionnel qui achète et vend des devises.

capitaux fébriles (*hot money*)
Capitaux qui se déplacent rapidement à travers le monde à la recherche de sécurité et du meilleur rendement à court terme.

catégorie d'actif (*asset class*)
Classe regroupant des valeurs de même type.
Note : l'actif d'un portefeuille est divisé en grandes catégories : actions, obligations, encaisse, devises et immobilier.

compte des paiements courants (*current account*)
(Écon.) Partie de la balance des paiements internationaux qui comprend la balance commerciale (les échanges internationaux de marchandises) et les invisibles (principalement le tourisme international et les revenus de placements transfrontaliers).

comptes nationaux (*national accounts*)
– Comptes des revenus et dépenses de l'économie.
– Système de comptabilité du revenu national permettant de mesurer certaines variables macroéconomiques comme le PIB, la balance des paiements, l'épargne, les investissements, etc.

contrat à terme (*futures ; forward*)
Engagement d'acheter ou de vendre une valeur à un prix et à un moment convenus d'avance.
Note : le contrat peut être négocié en bourse (*futures*) ou de gré à gré (*forward*) avec une institution financière.

contrepartie (*counterparty*)
Opération par laquelle un intermédiaire achète ou vend pour son propre compte des titres correspondant à un ordre de vente ou d'achat déterminé.
Note : le risque de contrepartie est le risque que le contrepartiste ne respecte pas ses engagements.

contrepartiste (*dealer*)
Intermédiaire qui achète ou vend des titres pour son propre compte.
Note : à distinguer de l'agent, qui réunit des offres d'achat et de vente complémentaires, sans engager son capital propre.

cote de crédit (*credit rating*)
Cote attribuée par une agence de notation, qui estime la capacité d'un emprunteur à faire face à ses obligations de manière ponctuelle.

coupon (*coupon*)
Partie détachable d'une obligation qui permet le paiement des intérêts au porteur.
Note : le taux de coupon est le taux d'intérêt annuel spécifié au moment de l'émission ; il doit être distingué du rendement.

courbe des rendements (*yield curve*)
– Graphique montrant les taux de rendement correspondant aux diverses échéances des obligations du gouvernement fédéral.
– Structure des taux d'intérêt du court au long terme.

courtier en valeurs mobilières (*investment dealer*)
Intermédiaire qui effectue pour son compte ou celui de ses clients des opérations sur des valeurs mobilières.

couverture (*hedging*)
Opération financière permettant de protéger une position contre un ou plusieurs risques, tels que la volatilité des taux de change, des taux d'intérêt ou la fluctuation des prix.
Note : se couvrir signifie également racheter les titres vendus à découvert. Voir **position à découvert.**

créancier (*creditor*)
Personne à qui une somme d'argent est due.

D

découvert, à (*short*)
Voir **position à découvert, vente à découvert.**

dentiste belge
Symbole du professionnel européen qui fraude le fisc.

dérivé, instrument ou produit (*derivative instrument, derivative product*)
Instrument financier complexe (options, contrats à terme et swaps ou une combinaison de ceux-ci) dont le prix est dérivé d'une ou de plusieurs valeurs sous-jacentes plus simples telles que les actions, les obligations, les devises ou les indices.

E

écart (*spread*)
Différentiel de rendement entre deux obligations de même échéance mais d'émetteurs différents.

effet de levier (*leverage*)
Effet multiplicateur du rendement que procurent dans un investissement des fonds empruntés par rapport aux fonds propres.
Note : l'effet de levier multiplie les profits, mais aussi les pertes.

émetteur (*issuer*)
Gouvernement, agence gouvernementale ou entreprise qui emprunte en émettant des obligations.

émission (*issue*)
– Ensemble de valeurs émises par un gouvernement ou une entreprise à un moment donné.
– Distribution de ces valeurs sur le marché primaire par les courtiers.

encaisse (*cash*)
Espèces et dépôts à vue à la banque prêts à être utilisés.

en compte (*long*)
Se dit d'une position dans laquelle se trouve un investisseur qui détient les titres ou autres instruments financiers dans son compte auprès d'un courtier de valeurs mobilières.
Voir **position en compte.**
Ant. **à découvert.**

eurocan (*eurocan*)
Dollars canadiens détenus à l'extérieur du Canada.
Note : l'eurocan est une eurodevise.

eurodevise (*eurocurrency*)
Avoir en monnaie déposé hors du pays d'origine de la monnaie concernée.
Note : l'eurodollar et l'euro-yen sont des eurodevises. Le préfixe *euro* ne constitue pas nécessairement une référence à des dépôts bancaires en Europe.

euro-obligation (*eurobond*)
Obligation émise à l'étranger et payée avec une eurodevise.
Note : le préfixe *euro* ne constitue pas une référence au marché obligataire strictement européen.

F

fonds commun de placement (*mutual fund*)
Fonds constitué de sommes mises en commun par des épargnants en vue d'un placement collectif en valeurs mobilières et dont la gestion est assurée par un tiers.

fonds de placement spéculatif (*hedge fund*)
Fonds commun de placement caractérisé par des opérations spéculatives.

G

gain de capital (*capital gain*)
Profit réalisé en revendant une valeur à un prix plus élevé que le prix payé.

Gilt
Obligation du gouvernement du Royaume-Uni.

H

haussier (*bull*)
– Se dit d'un marché dont les prix montent.
– Personne qui est optimiste au sujet de l'évolution du marché, et qui spécule sur la hausse des valeurs.

hedge fund
Voir **fonds de placement spéculatif.**

hors cote (*over the counter*)
Syn. **hors bourse**
Se dit de titres qui ne sont pas inscrits à la bourse et qui se négocient entre courtiers ou banques.
Note : les transactions hors cote se font au téléphone ou par réseau informatique. Familièrement, on emploie l'expression *au comptoir*.

hot money
Voir **capitaux fébriles**.

I

indice (*index, benchmark*)
Syn. **étalon**
– Panier de valeurs mobilières constitué pour mesurer la performance d'ensemble d'un marché financier.
– Portefeuille de référence servant à comparer le risque et le rendement.

L

LIBOR
– Taux d'intérêt flottant pour des prêts consentis en dollars US.
– Taux international auquel les banques se prêtent les unes les autres.
Note : LIBOR est l'acronyme de *London Interbank Offered Rate*.

liquidité (*liquidity*)
Qualité d'un marché où les opérateurs peuvent facilement vendre ou acheter un titre en grande quantité.

M

Maastricht (Traité de)
Accord signé en 1992 par les membres de la Communauté européenne pour l'établissement de l'Union économique et monétaire et qui impose aux pays membres de respecter certains critères de convergence économique, dont un endettement maximal de 60 % du PIB et un déficit maximal de 3 % du PIB.

mains fortes (*strong hands*)
Porteur d'obligations qui a tendance à conserver ses titres jusqu'à l'échéance ou qui les garde longtemps.

marché de détail (*retail market*)
Marché composé d'investisseurs individuels.
Ant. **marché institutionnel.**

marché des changes (*foreign exchange market*)
Marché institutionnel des devises.

marché financier (*capital market*)
Syn. **marché des capitaux**
Marché sur lequel se négocient les capitaux à long terme (actions, obligations, etc.).

marché institutionnel (*institutional market*)
Marché composé d'institutions financières comme les banques, les compagnies d'assurances, les caisses de retraite, les gestionnaires de fonds et les fiducies.
Ant. **marché de détail.**

marché monétaire (*money market*)
Marché de capitaux sur lequel sont échangés les titres de créance négociables à court terme (bons du Trésor, acceptations bancaires, certificats de dépôt, etc.).
Voir **marché financier.**

marché obligataire (*bond market*)
Marché où s'échangent les obligations des gouvernements et des entreprises.

marché primaire (*primary market*)
Marché constitué des premiers acheteurs d'une valeur nouvellement émise.
Note : le produit de la vente est remis à l'émetteur.

marché secondaire (*secondary market*)
Marché public sur lequel se négocient des titres après la distribution initiale (bourses de valeurs, marché hors cote).
Note : sur le marché secondaire, le produit de la vente ne va pas à l'émetteur, mais à l'investisseur qui détenait le titre.

monétiser la dette (*monetize the debt*)
Réduire la dette publique en accroissant la création de monnaie par la banque centrale.
Note : le fait de monétiser la dette correspond à une politique de croissance inflationniste.

N

négociateur (*trader*)
Syn. **opérateur**
Professionnel qui achète et vend des valeurs mobilières.
Note : le négociateur spécialisé dans les devises est un cambiste.

O

OAT
Obligation du gouvernement français.
Note : OAT est l'acronyme de *obligation assimilable du Trésor*.

obligation (*bond*)
Titre d'emprunt émis par un gouvernement ou une entreprise à ceux qui lui prêtent des capitaux à long terme.
Note : contrairement aux obligations d'épargne, on peut les vendre ou les acheter sur le marché secondaire en tout temps, mais elles ne sont pas habituellement remboursables avant leur échéance.

obligation d'épargne (*savings bond*)
Titre d'emprunt émis par le gouvernement aux individus qui lui prêtent de l'argent.
Note : les obligations d'épargne sont encaissables en tout temps, mais elles ne peuvent pas être échangées sur le marché secondaire.

obligation de référence (*benchmark issue*)
Obligation servant de référence pour mesurer les écarts de rendement des titres de même échéance des autres émetteurs.
Note : les obligations du gouvernement du Canada à 2, 3, 4, 10 et 30 ans servent de référence sur le marché obligataire canadien.

opérateur (*trader, market participant*)
voir **négociateur**

opération de pension (*repo ; buy-back, SPRA*)
Syn. **opération à réméré**
Achat (ou vente) d'une valeur avec promesse de la revendre (ou de la reprendre) à un moment et à un prix déterminés d'avance.
Note : dans la prise en pension, on achète le titre ; dans la cession en pension, on le vend.

open market, opération d'
Intervention de la banque centrale sur le marché monétaire, soit par l'achat ou la vente de bons du Trésor, soit par des opérations de pension.

option (*option*)
Droit, sans obligation, d'acheter ou de vendre une valeur à un prix et à un moment convenus d'avance.

P

papier commercial (*commercial paper*)
Titre d'emprunt à court terme émis par une entreprise.

pension
voir **opération de pension**

placement (*placement, investment*)
– Recherche active d'acheteurs pour des titres faisant l'objet d'une émission.
– Investissement dans des valeurs mobilières.

placement privé (*private placement*)
Vente d'un nombre élevé d'obligations (ou d'actions) à un nombre restreint d'institutions.

point de base (*basis point*)
Unité correspondant à un centième de 1 %. Exemple :une hausse de 100 points de base égale 1 %.

politique budgétaire (*fiscal policy*)
– Utilisation délibérée des recettes fiscales et des dépenses gouvernementales pour réguler la demande globale et le niveau d'emploi.
– Situation du budget de l'État.

Note : en français, la politique fiscale se limite à la perception des impôts et taxes.

politique monétaire (*monetary policy*)
Régulation de l'économie par l'entremise de variables monétaires comme les taux d'intérêt et la quantité de monnaie en circulation.
Note : au Canada, l'objectif prioritaire de la politique monétaire est la stabilité des prix.

portefeuille (*portfolio*)
Ensemble des valeurs mobilières détenues par un investisseur.
Note : le portefeuille peut être diversifié ou spécialisé.

position (*position, exposure*)
Situation particulière d'un placement.
Note : une position peut être acheteur ou en compte, à découvert, couverte, risquée, etc.

position à découvert (*to be short*)
Syn. **position vendeur**
– Situation d'un investisseur qui spécule sur une baisse des prix.
– Vente de titres que le vendeur ne possède pas en portefeuille.
Note : le vendeur à découvert espère pouvoir racheter cette valeur plus tard à un prix inférieur afin de se couvrir et de réaliser un profit ; il se couvre lorsqu'il rachète cette valeur.

position en compte (*to be long*)
Syn. **position acheteur**
Position d'un investisseur qui possède un titre en portefeuille et qui spécule à la hausse.
Ant. **position à découvert.**

produit intérieur brut (PIB) (*gross domestic product - GDP*)
Valeur de tous les biens et services produits par un pays pendant une année.

R

rendement (*yield*)
Ce que rapporte un capital investi.
Note : le taux de rendement courant d'une obligation est l'intérêt du coupon divisé par le prix d'achat de l'obligation. Le taux de rendement

à l'échéance (ou rendement actuariel) est le rendement obtenu si l'obligation est conservée jusqu'à l'échéance.

réserves internationales (*international reserves*)
Syn. **réserves de change**
Réserves de devises, d'or et de droits de tirage spéciaux (DTS) d'une banque centrale et servant à soutenir la monnaie du pays.

risque de change (*foreign exchange risk*)
Risque entraîné par les fluctuations des taux de change.

S

salle de marché (*trading room*)
Salle où se négocient les achats et ventes des valeurs mobilières.

samouraï
Obligation en yens émise par un emprunteur étranger sur le marché japonais.

short
Voir **position à découvert, vente à découvert.**

signature (*name*)
Émetteur d'obligations, emprunteur.
Note : l'expression fait parfois référence à la qualité de l'emprunteur.

swap
– Échange d'emprunts comportant des échéances, des devises ou des taux d'intérêt différents.
– Échange d'une valeur mobilière contre une autre.

syndicat d'émission (*issuing syndicate*)
Groupe de courtiers en valeurs mobilières et de banques qui assument les risques financiers d'une émission de valeurs – le **syndicat de prise ferme** (*underwriting syndicate*) – et qui en assurent la distribution – le **syndicat de placement** (*distributing syndicate*).
Note : le syndicat est dirigé par un **chef de file** (*lead manager*) ou des cochefs de file.

T

taux à un jour (*overnight rate*)
Taux d'intérêt pratiqué entre banques ainsi qu'à l'égard des courtiers en valeurs mobilières pour des prêts à très court terme et exigibles sans préavis.

taux de base (*prime rate*)
Syn. **taux préférentiel**
Taux d'intérêt demandé par les banques à leurs bons clients.
Note : c'est à partir du taux de base que sera établie l'échelle des différents taux d'intérêt à court terme réclamés par la banque à ses clients.

taux de change (*exchange rate*)
Syn. **cours du change, parité**
– Taux de conversion d'une devise dans une autre.
– Prix international d'une monnaie.

taux d'escompte (*bank rate*)
Taux fixé par la Banque du Canada pour ses prêts aux banques à charte.

taux d'intérêt (*interest rate*)
Loyer annuel de l'argent exprimé en pourcentage.
Note : le taux d'intérêt est le coût d'utilisation de l'argent pour une période donnée.

teneur de marché (*market maker*)
Opérateur ou établissement qui assure la liquidité d'une valeur en cotant de manière continue des prix d'achat et des prix de vente pour ce titre.
Note : le teneur de marché est un contrepartiste.
tekkie (*tekkie*)
(Fam.) Adepte de l'analyse technique.

U

US Treasury
Obligation du gouvernement américain.

94

V

valeurs à revenu fixe (*fixed revenues*)
Syn. **valeurs à taux fixe**
Partie d'un portefeuille composée de valeurs qui procurent des revenus déterminés au moment de l'émission (obligations, bons du Trésor, hypothèque, encaisse).
Note : les valeurs à taux fixe s'opposent aux valeurs à revenu variable telles que les actions qui procurent des rendements variant en fonction des bénéfices ou d'autres facteurs (ex.: dividendes).

valeurs mobilières (*securities*)
Syn. **titres de placement**
Titres négociables (actions, obligations, bons du Trésor, etc.) représentatifs d'une valeur (participation ou créance).

vente à découvert (*short selling*)
voir **position à découvert**

W

***when issued* (*WI*)**
Bon du Trésor à être émis lors des prochaines enchères et qui se négocie par anticipation.

Y

Yankee
Obligation en dollars US émise par un emprunteur étranger sur le marché américain.

Z

zinzin
Surnom familier donné aux (z) investisseurs (z) institutionnels (compagnies d'assurances, caisse de retraite, fonds communs de placement, etc.).